Daqui a Nada

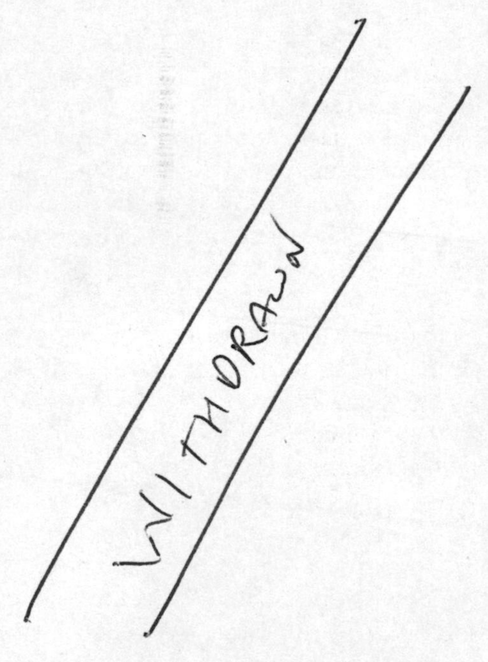

Rodrigo Guedes de Carvalho

Daqui a Nada

Romance

Leya, SA
Rua Cidade de Córdova, n.º 2
2610-038 Alfragide • Portugal

Capa: Rui Belo/Silva!designers

Revisão: Clara Joana Vitorino
1.ª edição BIS: Maio de 2009
Paginação: Fotocompográfica, Lda.
Depósito legal n.º 288 790/09
Impressão e acabamento: Litografia Rosés, Barcelona, Espanha

ISBN 978-989-660-001-3

http://bisleya.blogs.sapo.pt

Para os meus pais,
que viveram este livro para além das palavras

Para todos, na Dom Quixote,
Por me receberem tão bem

Um beijo grande, Cecília Andrade,
Um abraço, João Rodrigues,
Pela fé e amizade

E porque só eu sei,
para o António Lobo Antunes.
Sempre.

«O maior mistério da morte é que só o podemos saber
quando já não o podemos saber.»
VERGÍLIO FERREIRA, *Conta Corrente 3*

«Why can we never be sure till we die or have killed
for an answer?»
GENESIS, *Time Table*

Levantou-se de repente. Como se de um pesadelo. A cabeça pesada, os membros torpes, as articulações ferrugentas da insónia. E o dia que nunca mais irrompia pelos espaços regulares da persiana, desenhos milimétricos na escultura rígida da janela.

Este não é o meu quarto e estou farto de hotéis. Uma mulher respira devagar por trás de si. Amo-a? Mexe-se ligeiramente, muda de posição, murmura palavras fugidas de sonhos desfeitos, volta a adormecer, a boca ligeiramente mais aberta, a mesma respiração aquática. Que faço eu aqui?

Água, no pescoço, na cara, as mãos em concha, duas três quatro vezes, lavar-me, começar a limpar-se por ali, como se restassem nas pálpebras e nos lábios pedaços apodrecidos da goma da resignação. Sentiu, enquanto os olhos fechados se lembravam das corridas de bicicleta entre a Apúlia e Ofir, e a boca reaprendia a pouco e pouco a arquitectura difícil dos sorrisos abertos da infância, a mulher que se remexia no seu sono inquieto, Falas tanto de noite, Dizes tanta coisa que não percebo, que me apetece logo inventar aí, nesse espaço a que definitivamente não pertenço, a cova escondida do entendimento que definitivamente não logramos alcançar, um raspar mais brusco dos lençóis, um bocejo enorme, claro, a faísca de um isqueiro, claro, a voz que já não pertence ao sonho, clara.

– Por que é que acordaste tão cedo?

Por que é que me deitei tão tarde, e contigo, uma vez mais contigo, um corpo à deriva, a jangada da tua sedução, há quanto tempo?

– Podes responder-me quando falo contigo?

Cala-te, estou a redescobrir o prazer de fazer a barba, a lâmina a viajar os contornos do queixo, a alternância agradável da água quente e da água fria, estou bem, estou quase limpo. Cala-te.

– Estava cheio de calor, dormi mal.

– Porra, eu dormi como uma lontra...

E um novo bocejo (por que é que os conto?), imaginou-lhe de costas o hábito de prender o cigarro entre o anelar e o médio, a cinza que se começa a inclinar, a maneira distraída de coçar a nuca. Ainda bem. Que dormiste bem, quero dizer. Voltou ao quarto acalmando a irritação da cara com palmadas sábias de after-shave, num gesto que aprendeu com os cowboys da infância (quando eu for grande e fizer a barba), reparou na própria sombra atapetada na alcatifa pela da luz da casa de banho, adivinhou os contornos das coxas nuas, dos seios em desmazelo, agora que a chama do isqueiro se juntava aos primeiros raios de sol que espreitavam pelas feridas da persiana, adivinhou a própria boca sem nada para dizer dali a pouco, sem qualquer palavra na profunda arrecadação da linguagem que conseguisse traduzir o que lhe ia por dentro, realmente por dentro, doridamente por dentro, sem nada para dizer ou responder.

– Então já não deixas crescer a barba?

Tomar a iniciativa de dizer quando lhe pareceu de repente que eram horas de partir, de abalar, de romper de vez juntamente com a luminosidade teimosa da manhã, um salto sem regresso, uma viagem sem retorno possível, atirou a toalha para cima da cama, abriu os pesados cortinados de veludo, Ei, não abras essa merda, olhou finalmente a mulher com os olhos engessados da decisão, se calhar sorriu, se calhar deu-lhe gozo feri-la no seu torpor de bicho nocturno, abriu as persianas, a janela, a porta da varanda, abriu tudo o que havia para abrir, deixar sair o cheiro a mofo, a podre, continuar a limpar-se.

– Vou-me embora.

– Foda-se, acordaste mesmo de cu para o ar. Ao menos dá-me tempo de me vestir.

Não percebeste nada, continuas a não perceber nada, não é do hotel que me vou embora, não é deste quarto excessivamente luxuoso, excessivamente impessoal como tu me pareces nesta manhã, como tu finalmente pareces, vou-me embora de mim, repara, olha para mim, não acredito que não mo leias nos olhos, na transpiração aflita das mãos, não acredito que não notes, que não te apercebas e no entanto não vou nada embora, sei-o, vou permanecer para sempre grávido dos dias que não me atrevo a relembrar, a fazer voltar, às tantas, merda, não conseguirei nunca ir-me embora, nunca partir como se inventasse nesse momento eternamente adiado a alegria refrescante da chegada, anda, veste-te lá, vou descendo, vou pagando a noite que não tive, e foi como se ao dirigir-se ao empregado alto e curvado da recepção que o cumprimentou numa subserviência pegajosa, se dirigisse de facto à mulher que naquele preciso momento (adivinhava-o) compunha em frente ao espelho da casa de banho o caos escuro dos cabelos, indignada por ter sido selvaticamente arrancada ao conforto celular do sono da manhã, resmungando impropérios com a boca cerzida que (de certeza) aperta os ganchos trazidos das toilettes da adolescência, tirou a carteira do bolso do blusão (Fica-me mal, por que continuo a usá-lo?), olhou novamente o recibo que a cegonha lhe estendia, e pensou numa soma elaborada pela mulher, a multiplicação imparável de uma solidão sem remédio.

Ouviu a campainha do elevador que aterrava na recepção, pressentiu sem olhar a mulher a empurrar a porta, o cabelo apanhado na nuca com um elástico furioso, os longilíneos óculos escuros repletos de acordes estridentes sofregamente engolidos numa maratona rockeira do Pavilhão Infante de Sagres, deixou uma nota mais pequena de gorjeta, pôs também os óculos, o tique obrigou-o a verificar a fralda da camisa, e atravessou a porta de vidro com a sensação de ter rachado algo que deveria ter tido a coragem de quebrar.

– Já que viemos com esta pressa toda, quero ir tomar café a qualquer sítio a ver se acordo. E podes então aproveitar para me explicar o que é que se passa. Ou será que como de costume me vais dizer que não se passa nada?

A luz do semáforo ficou verde. Arrancou com um solavanco súbito, virou à esquerda e começou lentamente a subir a Avenida da Boavista. É tão cedo ainda, pensou, os carros ainda não se empurram uns aos outros, os eléctricos deslizam como trenós na neve adormecida dos carris, espécie de quadrigas romanas repletas de publicidade guiadas com desinteresse por um Ben-Hur ensonado e vigiadas por um legionário mal-encarado que coça o capacete da caspa num gesto de babuíno. Tão cedo ainda na minha cidade que conheço tão mal, por afinal estranhar aquela ausência de ruído, de burburinho, de bulício, por estranhar aquela claridade tímida, ainda infantil, tão diferente daquela luminosidade opaca que me habituei a tomar como certa e que sempre me untou a alma de uma angústia sem razão. É então assim a minha cidade às sete da manhã, pensava, quando a voz pastosa da mulher disse, Já que vieste por aqui vamos ao Orfeu, se bem que duvide que já esteja aberto. Mesmo quem trabalha a sério dorme mais do que tu.

Abordou a Rotunda ainda preso de uma surpresa genesiana pelos contornos açucarados da cidade que crescia de movimento a cada metro, em cada minuto, em cada rosto e esquina, acompanhou o serpentear dos trilhos até à Rua Júlio Dinis, virou, não viu um táxi a arrancar, teve que guinar para a esquerda, derrapou, conseguiu dominar o carro, abriu o vidro, Estavas a olhar para onde, cornudo?, o taxista respondeu-lhe na mesma moeda, um dedo esticado entre dois que se encolhem, estacionou atrás de uma milenária carrinha das lavandarias Texas da qual saía o ressacado vaqueiro do condutor, puxou num repente as rédeas do travão de mão, fechou os olhos com força, abriu-os passado um bocado debaixo do inalterável silêncio da mulher, empurrou a porta e saiu.

O Café Orfeu na manhã que mal começou pareceu-lhe tão estrangeiro como o resto do asfalto e do cimento das casas que tinha acabado de percorrer, procurou em vão uma imagem, uma tonalidade, um rosto, que lhe garantissem estar de facto num dos seus portos de abrigo do costume, mas tirando as mesmas cadeiras e o mesmo chão sujo, nada naquele palácio de torradas e cimbalinos o devolvia à atmosfera familiar das tardes e noites de fervor alcoólico.

– Podes-me explicar ao menos por que é que fizeste a barba?

Disse a mulher enquanto soprava o vapor do galão.

– Não sei, apeteceu-me. Sinto-me melhor assim.

Tocando sem que o soubesse, sem que disso se apercebesse, na divisória definitiva que o afastava do caminho daquela mulher morena, decidida, perspicaz (Amo-a?), aquela mulher que há três anos o acompanhava, que há três anos (Já?) dormia consigo e o salvava das eternas hesitações com a segurança felina de quem acha que só se sofre quando se é fraco.

– És um idiota, deixas a vida enrabar-te por tudo e por nada – disse-lhe um dia (Há quanto?) em que a derrocada interior começara a adquirir foros de avalanche de danos irreparáveis e deixara vir as lágrimas por cima do prato de sopa enquanto o resto do restaurante o fitava de relance, espantado, desconfiado, indignado. Foi nessa altura que a mulher tirou o guardanapo do regaço, pousou-o em cima da mesa, levantou-lhe o queixo com as tenazes dos dedos magros e ele pensou, Vai-me enxugar as lágrimas, Vai-me sorrir, Vai-me pegar na mão

– Mas esta merda nunca mais acaba? Até quando vais continuar cheio de piedade por ti próprio? Sofreste muito na infância, sofreste muito na adolescência, na guerra, estiveste perdido, a tua mulher enfeitou-te, e depois? Explica-me, e depois, homem? Vais desistir de tudo, vais dar um tiro nos cornos? – como que a perguntar E eu?, como que a perguntar De que me adianta continuar contigo se não consigo, se nunca conseguirei, apagar-te os medos, as paranóias, as hesitações de puto escondido no sótão, toda a merda que te afasta de mim, que nos impede de conseguirmos dar-nos totalmente, realmente um ao outro. De maneira que o agredia, de maneira que, incapaz de lhe pedir que olhasse por ela, que velasse, simplesmente, o seu coração sobressaltado, o saraivava com recriminações, com chamadas de atenção, com agressões deliberadas que aprendeu a considerar a única saída para as depressões, para as porras, para as burguesices que não levam a sítio nenhum, os problemas de pacotilha dos quarentões neuróticos resolvem-se em cinco minutos de conversa franca em que os convencemos definitiva e irremediavelmente da merda que são.

Até quando terei pena de mim. Até quando sentirei prazer em ouvir as recriminações como se as merecesse e me esforçasse, mantendo a cabeça baixa e envergonhada, por continuar a ouvi-las. Nunca abandonei de facto a falta de coragem que me persegue desde pequeno, que me encurrala no medo diário de me procurar, de atingir aquilo a que devia ter aspirado, a metamorfose final em homem, o ponto de chegada do ciclo de eterna gestação em que me arrasto. O empregado retirou as chávenas e os restos das sandes de fiambre (Sempre odiei o nome sande), a mulher acendeu, claro, um cigarro, perdeu por momentos o olhar na brancura da rua que principiava a agitar-se para além do vidro sujo e disse, sem o fitar

– Tenho a impressão, Pedro, de que não se trata de mais uma birra, de mais uma merda. Corrige-me se estiver enganada, mas tenho a impressão que este é o último pequeno-almoço que partilhamos.

Continuava sem o olhar e ele teve a sensação de que havia o risco inesperado de a ver chorar. Falou, mais para a salvar dessa fraqueza do que por recear emocionar-se também

– Preciso, hoje, de estar sozinho, de pensar, de acalmar um formigueiro qualquer que anda cá dentro

sentiu o soluço abafado da mulher, as mãos crispadas, os lábios mordidos, Sei que não vais chorar

– Tentar perceber o que se passa e o que não se passa, sei lá, telefonar à minha filha, descobrir onde me perdi, solucionar o que me ficou por fazer

sem perceber que a filha estava ali naquele momento ao seu lado, a conter as lágrimas, sem perceber que a mulher em quem procurava uma mãe não passava de uma filha, Nunca te tinha visto sem máscara como agora, Onde está a tua ironia, o teu escárnio, a tua força inabalável, sentiu uma pena súbita e detestou-se por isso, És afinal tão igual a mim, tão igual a toda a gente, que me dói sem que o saibas suspeitar-te assim indefesa, assim humana, que me magoa sem que te apercebas descobrir-te tão à minha medida, agora que tenho de partir, que uma vez mais tenho de partir. Calou-se ao sentir o alheamento da mulher, mexeu no isqueiro, apalpou-o, sentiu-o, acendeu-o várias vezes na direcção de cigarros inexistentes, como se adiasse algo, como se uma vez mais esperasse que alguém desse o primeiro passo por ele.

– Sabes onde eu moro, sabes o número de telefone, procura-me se te lembrares de mim.

disse enquanto se levantava, enquanto procurava os óculos na desordem da carteira, já refeita das cataratas que não chegaram a humilhá-la, já a tropeçar no degrau antes de empurrar a porta de vidro. Pela segunda vez nesse dia que mal tinha começado, pagou e saiu também.

Quem te garante que não procuraste os teus problemas. Quem te garante que não os inventaste e aumentaste um pouco, para ficarem à altura daquilo que consideras o verdadeiro sofrimento. Tanta coisa que ficou por fazer, será que já é tarde. Nasci onde, nasci quando. Em 45, no fim da guerra e no início da *Bola*, tenho a sensação de que a minha existência não se conseguirá libertar nunca desta génese romântica e catastrófica. Nasci porque, nasci quem.

Regressou ao carro tendo o cuidado de evitar a investida desvairada de um autocarro, abriu a porta como se olhasse para dentro de si mesmo, um solavanco súbito para o meio da rua. Muito mal guio eu, pensou descobrir nessa constatação de azelhice um certo conforto e justificação para a muita ferrugem que lhe roía as entranhas, Onde entro?, em que momento desta peça mal ensaiada me levanto e proclamo solenemente uma ordem, um pedido humilde, uma explicação final? Não a há, começo agora a saber, desesperadamente a compreender. Não a há. Espasmos, momentos, sim, fulgurações instantâneas, sim. O provisório. Tentar retirar daí o máximo, esquecer o futuro. Sou de mim tudo o que já fui. Não acredito em Deus, mas então quem sabe o que serei.

O carro tomou devagar a direcção de retorno à Avenida da Boavista, o carro, não ele, os olhos quase fechados, as mãos suavemente no dorso do volante como se no pêlo assustado do rafeiro arrancado de repente à pré-história da infância, o corpo descansadamente distendido numa reclinação de cadeira de praia, a cabeça ausente, pela primeira vez desde há muito tempo realmente ausente, acusando apenas o calor que começa a estalar na atmosfera reduzida do automóvel, na atmosfera compacta e completa da sua calma reencontrada. Passou a Fonte da Moura, continuou para baixo como num túnel sem remissão.

– Por que cortaste tu a barba?

A minha Via Sacra, pensou, esboçando o Lázaro de um sorriso, o meu verdadeiro caminho, impossibilitado que estava de encontrar outras estradas que não as de asfalto e paralelos e areia, incapaz de imaginar uma estrada por dentro das próprias mãos, uma que o fizesse regressar ao sítio perdido que nenhum mapa indicava. A minha Via Sacra, pensou, e os olhos abriram-se agora pelo cheiro que denunciava a proximidade do mar, a proximidade dos estilhaços familiares do mar. O mar faz-me lembrar-te, mas afastou a imagem, mirava um qualquer ponto perdido lá ao fundo, num local impreciso, num local inatingível, para além da estrada, para além da história esquecida do Castelo do Queijo (Que caralho de nome), para além do esqueleto putrefacto do petroleiro afundado, muito depois da espuma furiosa da maré-viva, os olhos olhavam mais longe que o horizonte, dentro de si, uma ilha perdida numa erupção de sofrimento nunca solucionada. Sinto-me tão bem que recordo, imagina, a tua maneira patética de rir se estás com os copos, há quanto tempo não apanhamos uma ramada juntos, há tanto tempo que não lembro, que já não lembro, há tanto que o confundo com os fins de tarde na Apúlia, com os salgados jogos de vólei, há quanto tempo? Tudo isso foi antes de tudo, penso agora, se isso realmente aconteceu foi antes de as coisas terem nome, antes da guerra, não só a de África mas todas, no tempo em que os deuses possuíam o teu sorriso, a tua voz, no tempo em que se encontrava por inventar o pânico que hoje arrasto, incómodo, à laia de uma cauda indelével.

Cortei a barba, Paula, mas tu nunca virás a compreender que foi uma maneira de começar a regressar, cortei-a, Paula, da mesma impensada maneira que se estende o braço a um afogado que nos pode arrastar por limos e corais de eternidade, circundou uma nova rotunda, virou na direcção da Foz, avançou placidamente pela Avenida de Montevideu, estendeu aos frutos apodrecidos dos casarões centenários os braços preguiçosos dos olhos, viu a casa da ex-mulher e pensou imediatamente Há quanto tempo não passo aqui? Porra, há quanto tempo tanta coisa? É de facto o tempo que nos falta, ou recusamo-nos a vivê-lo, a revivê-lo, a tomar-lhe o pulso e saber o que de facto nos aconteceu, o que teve lugar e não poderemos nunca, por maiores esforços, apagar com a mesma facilidade com que se remove uma nódoa comprometedora de um fato de domingo, o tempo não nos falta, mas o seu excesso, a sua brutalidade, a sua presença de sombra que nos obriga a partilhá-lo, essa omnipresença, esse sentimento de obrigatoriedade, por isso vale a pena combatê-lo, lutar pelo simples prazer de lutar, de reagir, de protestar, como se da ingénua maneira de enganar os dogmas impostos, os tabus, ou as mil e uma formas com que se enfeita o proibido nascesse a força procurada, insuspeitada, de lutar contra o próprio medo, contra a resignação, a ânsia imensa de agarrar os dias pelos cabelos, de os obrigar a parar, a voltar para trás um minuto que fosse (Apúlia), uma merda dum segundinho que me permitisse ser responsável pela minha vida, uma maneira de manejar os ponteiros ao meu ritmo.

Parou o carro em frente à casa da mãe, na Rua Garcia de Orta, depois de uma caminhada penosa que lhe abrira na pele uma ferida nunca cicatrizada, Até a minha mãe deve estar farta de me aturar, também ela vai estranhar a cara aparada, o rosto de repente demasiado branco, demasiado pálido perante o carvão veraneante que já me povoa o peito e as costas e as pernas, como de costume nada me perguntará, nada inquirirá, Onde é que dormiste?, como se eu tivesse de novo dezoito ou vinte anos, ou qualquer tempo por aí perto, como se voltasse de uma noite em claro com a Marta (Lembras-te, amor?), de uma noite de intermináveis conversas, de passeios no monstro adormecido da praia, a preparar, sem que o soubéssemos, sem que pensássemos nisso ainda, sem que nos apercebêssemos, o recanto escondido dentro da desesperança onde construíamos, num labor de abelhas, a cumplicidade que desde então nunca mais nos abandonou e na qual procurávamos abrigo se nos sentíamos perdidos ou desorientados, se nos sentíamos (Lembras-te, amor?) desencorajados.

Bateu a porta do carro, uma mão distraída compôs a braguilha, o cão apercebeu-se da sua presença a julgar pelos gemidos que se ouviam no fundo do quintal, empurrou o portão branco num gesto fatigado, rosnou um cumprimento inaudível à empregada centenária que dia após dia lhe apimentava a sopa (Há quanto tempo estás já connosco?, há quanto tempo temperas as saladas, os bifes, quando é que ensinaste a minha mãe a fazer grão-de-bico como deve ser?), espapaçou-se no sofá numa preguiça de gato capado.

– És tu, Pedro?

Sempre conheceste a nossa maneira de entrar em casa, sempre adivinhaste as nossas doenças mesmo antes de elas existirem, perdeste de certeza tanto tempo a medir-nos as febres, a limpar-nos as cacas, os ranhos, a ler-nos histórias da carochinha que nunca te tinham contado, que me parece que te esqueceste de arranjar tempo para ti, para as tuas coisas, para os teus desejos, de certeza que os tiveste, que os tens ainda, se estás só e o ronronar da máquina de lavar louça te transporta aos lugares que deixaste de conhecer por nossa causa

– Sou eu, mãe.

o barulho do aspirador te lembra os modos atenciosos de um senhor que te ajudou a subir para o autocarro, o rendez-vous sempre falhado, o teu enorme silêncio perante tudo, o teu alheamento desde a morte do pai

– Filho, diz à Emília para ir pondo a mesa, eu já desço.

a tua queda prematura, tu, tão viva que esta casa respira pelos teus pulmões, a tua voz, as tuas preocupações ainda hoje (Leva uma camisola, pode fazer frio), pergunto-me se alguma vez poderei passar sem essas atenções que me habituei a desrespeitar, sem esse zelo que verdadeiramente mais ninguém teve por mim e que a Paula, no seu pragmatismo furioso, no seu desapaixonamento pelas emoções piegas, despreza. Àquela hora, imaginava-o, a filha deveria almoçar com os seus movimentos parados que nunca deixou de amar, a filha que há tanto tempo não procurava devia estar sentada à enorme mesa de mogno da Avenida de Montevideu, junto ao silêncio sorumbático da avó que a acusava mudamente de existir, de ser jovem e bonita e sem fantasmas ainda, aqueles farrapos herdados de uma rigidez feudal inconciliáveis com uma tentativa titânica de continuar a existir no século vinte, a filha que, por descuido e imaturidade (Era tão novo quando nasceste, Rita, tão pequeno ainda que queria mais era que tomassem conta de mim, das minhas mãos permanentemente nos bolsos, da minha cabeça baixa, do fardo pesado de nunca ter dito ao meu pai que o amava, Rita, de sentir o tempo não demasiadamente curto mas demasiadamente inexistente), deixou sempre de lado nas suas tentativas de andar para a frente, de se libertar de algo que lhe tolhia os movimentos, Nunca me lembrei, imagina a estupidez, que talvez me pudesses ajudar com esses teus olhos antiquíssimos, com essa tua boca séria feita do que nas crianças há de verdadeira sabedoria, nunca me lembrei que talvez pudesse, que talvez devesse pedir-te ajuda, minha filha, meu grande e talvez único amor, meu livro escrito com carne pele e sangue.

A mãe desceu finalmente (Gosto tanto daquele teu vestido azul, faz-te tão viva, por que nunca mais o puseste?), beijou-lhe a testa num assomo doméstico de Pietà, não lhe perguntou, claro, onde tinha passado a noite, limitou-se a olhá-lo enquanto sorria sem palavras a atrapalhar, e ele pensou logo Como é que podem dizer que temos as bocas parecidas se nunca, que me recorde, sorri assim dessa maneira total, dessa forma que nenhuma expressão designa, que nenhuma teoria interpreta, esse sorriso que te nasce no útero e que reconhece, nos meus olhos injectados e no cabelo desalinhado que começa a rarear, a semente nunca perdida, o prodígio primeiro, esse desmesurado grito de amor, de verdadeiro amor, essa profundíssima fenda de terra que nunca senti estalar na planície adormecida do meu peito.

– Então, novidades?

– Não, mãe, nenhumas.

E tu farta de saber que não era verdade, tu a sentires qualquer coisa no ar, reconhecendo a minha hesitação, sentindo na atmosfera que algo me atormentava, de maneira que disseste

– Bem, vamos para a mesa que se está a fazer tarde.

de maneira que me esqueci de te dizer, que me esqueci de me abrir, que não tive coragem de rebentar uma arca cheia de pó armazenada no sótão da minha enervante timidez

– Emília, pode servir a sopa que o menino vai só lavar as mãos.

como quem admite de uma vez que está arrependido de ter crescido, que está arrependido de ver o cabelo a esbranquiçar nas têmporas (Até pode ser que me fique bem, compro uma camisa de seda, umas calças brancas, uso finalmente o fio de ouro que a minha madrinha me deu no casamento, há quanto tempo?, encosto-me displicentemente ao balcão do Twins ou do Swing, cumprimento efusivamente gajos que detesto, assisto com terror de mosca em teia de aranha à aproximação vagarosa, calculada, tentacular, de adolescentes descontraídas e fortemente ocas, e lembro-me de repente, como quem cospe a bebida no fim de uma anedota, que podem ser já filhas de amigos meus de infância, de liceu, de tropa, de desencanto. Foda-se.). Subiu os degraus dois a dois numa tentativa de se ultrapassar, de ganhar tempo, dirigiu-se ao fim do corredor, entrou na casa de banho, evitou olhar-se ao espelho, porque cortaste tu a barba, abriu a torneira, viu o lento fiozinho de cascata tímida que escorria para o lavatório, e à medida que levantava devagar os olhos distinguiu, para lá do deserto mirífico do espelho, um apelo selvagem de gritos, uma noite suspensa de um suor espesso como sangue ou geleia, igualmente doce, igualmente lento, uma miragem enevoada que ia a pouco e pouco tomando forma e sentido, mais gritos ao longe por dentro do silêncio do calor, viu a sua figura patética a subir as cuecas, a calçar as botas enormes, aflito de incompreensão e de sono, O que é que se passa meu deus, o cabo Miranda a irromper-lhe pelo quarto dentro, pálido, suado, Ó meu alferes venha depressa que isto tresanda a desgraça, a calamidade, a tragédia verdadeira, eu sei porque antes de me enfiarem nesta terra maldita de picadas e macacos eu era pescador, meu alferes, e habituei-me a levantar-me de noite se o mar estava cão sem que ninguém me avisasse, sem que ninguém me dissesse nada, mesmo antes de ouvir, arrepiado de impotência, os gritos bestiais das velhas ajoelhadas na praia. Mas o que é que se passa, Não sei, meu alferes, e ninguém sabe ainda ou todos sabem mas ninguém quer acreditar, ninguém quer saber, todos querem passar ao lado, a gente ainda aguenta a guerra, a falta de comida, de água, as saudades, mas não aguenta o que não compreende, o que nos transcende, a presença, sabe-se lá, do próprio diabo em pessoa, enfiou a camisa à pressa, saiu para a areia vermelha da parada seguido pelo cabo descontrolado, Mas diz lá o que é que se passa, caralho, desembucha lá de uma vez, já aflito também, já contagiado pelo nervosismo do outro, amedrontado com o silêncio sufocante que inchava por dentro da noite, que se estendia pela chama adormecida até às fogueiras paleolíticas dos quimbos que iluminavam ao de leve o perfil mágico das palhotas, Ó meu alferes, o meu alferes sabe quem é o Guiné, aquele transmontano forte como um touro, de olhos de criança, que amanhou em Bissau antes de vir para aqui amanhar com a gente, o Guiné, aquele que todos os dias se senta no chão depois da ração aquosa, encostado à parede da caserna, de fósforo preso entre os dentes separados, continuaram a andar em direcção à porta da messe onde o resto dos homens já se encontrava num torvelinho de formigas, os oficiais acotovelando-se, esbracejando, o que é que se passa, o que é que se passa, os soldados numa quietude feita de medo, feita de respeito, num silêncio cúmplice de olhos baixos, Pois o Guiné, meu alferes, namora há algum tempo uma pretinha ali do quimbo, para mim namorar não será bem o termo, arreia-lhe umas fodinhas de vez em quando, tal como todos fazemos, o meu alferes sabe bem que um homem não é de pau, as saudades são muitas e as alternativas poucas, a falta de consolo, de ternura, é muita, e a gente, está o meu alferes a ver, lá vai por vezes dar a nossa para esvaziar, para esquecer outras coisas, e deve dizer-se que muitas delas não são nada más, as novas, os seios firmes, as ancas enxutas, as velhas não, até metem nojo aos cães, as mamas todas descaídas, a catinga, o hálito de erva podre, além disso tenho a certeza que não se deixavam foder, não são resignadas como as novas, as novas até parece que já sabem o que as espera, parece, meu alferes, que adivinham a nossa fome, o nosso desespero, entregam-se com uma simplicidade que decerto nos arrepiaria se não estivéssemos tão ocupados a descobrir à pressa a racha desenhada entre as coxas, que nos espantaria se não fôssemos tão sôfregos a descer as calças, a segurar o pénis e a guiá-lo, raivosos, na direcção mansa e escura do seu ventre, e às vezes, garanto-lhe, assusta-me o silêncio delas, a cara voltada devagar para o lado para não verem a nossa pressa de crianças, os olhos muito abertos, desmesuradamente abertos, fitando a imensidão da chana que se aventura pelos intervalos rasgados no barro fresco das suas casas, das suas cabanas, e enquanto me impressiono com a lentíssima beleza das suas pernas abertas, já me aconteceu, pode rir-se se quiser, esperar que desse gesto prisioneiro, dessa magnitude que só as mulheres conhecem, nascesse, meu alferes, o despertar final do paraíso.

Devia ter aprendido nessa altura a verdadeira cor do amor, da amizade, sei lá do quê, do reencontro com a minha própria coragem, pensou ele na casa de banho ao cimo das escadas, dentro do espelho o cabo continuava a caminhar ao seu lado na direcção da luminosidade da messe, Pois o Guiné, meu alferes, tomou-se de amores ou paixões ou lá o que caralho seja por uma pretinha que vem aqui às vezes lavar a roupa ao pessoal, umas cuecas, umas meiazitas, e a gente dava-lhe umas coroas, qualquer coisita melhor para comer, uns apalpõezitos de vez em quando, mas isso só até o Guiné a conhecer, porque a partir daí tivemos a certeza que nos espetava um canhangulo nos cornos se nos visse a metermo-nos com a miúda, se nos atrevêssemos, pode crer meu alferes, a sequer olhar para ela, ele nunca nos disse nada, nunca nos ameaçou, mas nós sentíamo-lo, a gente pressentia-o, na sua maneira arrastada de andar, nas suas mãos enormes, nos seus ombros feitos da firmeza rugosa dos carvalhos, a pretinha é uma das muitas mulheres de um velho que quase nunca está por cá, vai para o meio do mato fazer não sei o quê, caçar, rezar, não sei, estes pretos são malucos, têm coisas que vá lá a gente percebê-los, só sei é que o gajo é marido dela e mais parece pai dela, está para fora há algumas semanas, mas também se não estivesse era a mesma coisa, nunca poderia impedir coisa alguma, estes cabrões são malucos, parece que não se importam que um gajo lhes coma as mulheres, dizem que possuir o corpo não é o mesmo que possuir a alma, tretas assim, ainda há pouco dizia eu que os nharros são malucos, já está o meu alferes a ter uma ideia. Tenho a certeza, e são estas coisinhas, estes pequenos nadas, desculpe o meu alferes se me estiver a repetir, que vá lá a gente perceber e explicar na nossa linguagem da metrópole, ora o Guiné disse um dia à rapariga Vou-te levar comigo, que bem o ouvimos, eu e o Pires, o meu alferes sabe quem é o Pires, aquele ruço, magrinho, a quem a mãe morreu na semana passada, recebeu um telegrama que dizia Zé a tua mãe morreu lembras-te daquela doença que a obrigava a cagar de lado para um saquinho? deu-lhe mais forte e lá foi ela é pena não estares cá sentimos todos a tua falta o teu irmão está aqui ao lado a dizer se tu lhe trazes um macaco um abraço do teu pai, mas nesse dia ainda a mãe do Pires não tinha ido com nossa senhora e ele estava comigo ali ao pé dos unimogues a beber umas cucas que como sempre fazia um calor do caraças, uma temperatura fodida como eu nunca pensei que pudesse existir se não tivesse vindo parar a este fim do mundo, ainda julgamos nós que o Algarve é quente, se eu nunca tivesse vindo para cá desconheceria certamente esta maneira angustiante de não haver vento, esta maneira silenciosa de as árvores apontarem o céu num sinal divino, e ouvimos o Guiné Vou-te levar comigo, ali mesmo ao pé de nós, meu alferes, a segurar a mão da miúda com um cuidado que lhe estranhámos, Vou-te levar comigo, e ela riu timidamente, e ela ficou com o sorriso preso aos lábios, a fitá-lo naquilo que a mim e ao Pires pareceu uma espécie de pena, e foi então que nos apercebemos que o Guiné já devia ter sido pequeno, menino mesmo, porque nenhum homem tem olhos como os que vi naquele momento, o meu alferes se não acredita pergunte ao Pires, a rapariga continuou a sorrir, fez-lhe uma careta a tentar distraí-lo, a tentar fazer-lhe compreender, passou-lhe as mãos pelo cabelo sujo numa carícia de leoa, virou-lhe as costas e desatou a saltitar alegremente de volta ao quimbo. E foi aí, o meu alferes percebe?, que o Pires e eu sentimos uma espécie de arrepio, como nós na Póvoa não gostávamos de ir ao mar se o víamos assim adormecido, assim calado, sem uma onda sequer para amostra, como nós na Póvoa desconfiávamos sempre do dinossauro liquefeito do mar que descansava numa misteriosa paz de urso polar, como desconfiámos naquele dia das mãos paradas sobre os joelhos do Guiné, do seu peito de lenhador a esticar compassadamente os botões demasiado frágeis da camisa, do seu olhar de repente ausente, cheio de pinheiros e de lobos e de casas de granito, como desconfiámos, o meu alferes está a atingir?, que algo de estúpido ou de dramático ou de simplesmente imenso estava para acontecer.

– Pedro, quando quiseres, desce. O almoço está na mesa.

O cabo calou-se de repente, talvez com falta de fôlego, talvez cheio de premonições pela calma excessiva da noite, a mãe voltou a chamá-lo para a mesa mas ele já não a ouvia porque lá ao fundo, surgida do nada como uma moreia dos intervalos rochosos das profundezas, erguia-se a silhueta cambaleante do Guiné, agigantada pelo luar que lhe batia pelas costas, a figura irreal do soldado que ele aprendera a conhecer discreto, retraído, boçal, a figura do Guiné de repente grande de mais aos olhos de todos, aos olhos assustados e espantados e interrogativos de todos.

– Pedro, olha que a sopa esfria!

O corpo do Guiné adivinhado pela primeira vez na serenidade excessiva do luar, um primeiro grito quase imperceptível, Matei-a, nem sequer desespero, nem sequer raiva, só um grito dentro da noite, meu alferes, apenas um horrível estertor de bicho dentro da nossa noite quente, mãe, já desço, os soldados recuaram instintivamente.

– Matei-a!!

E agora sim, um animal à solta na direcção ziguezagueante da messe, agora sim, todos tinham percebido afinal o silêncio sufocante por dentro do peito, que nos tinha impedido de adormecer, de descansar.

– Matei-a.

Mas já nem era necessário, a camisa rasgada, o suor grosso a escorrer, Que fizeste Guiné?, avançou sem pensar na sua direcção, uma coragem nascida do medo, Que fizeste?

– Matei-a e fodo o primeiro que vier!

– Pedro!

Ergueu a mão para que todos vissem a faca ainda ensanguentada, ainda quente do ventre estripado da menina que jazia algures no quimbo, talvez com a mesma inalterável face séria das negras, fitando as estrelas num denso adeus, Eu mato toda a gente, sem coragem para se matar como realmente queria

– Guiné!

sem coragem de matar a lua e o sol e todos os homens que lhe aparecessem pela frente, sem coragem de esventrar a impossibilidade de transportar as coxas escuras e os seios redondos para uma aldeia transmontana que ela não sabia onde ficava mas sabia não ser a sua, como nós nos deveríamos ter recusado a espezinhar uma terra que deveríamos sentir não ser a nossa, mas onde em nós as raízes fundas, onde em nós a lucidez e o apego, Mato tudo, Rebento o primeiro, um rio de lágrimas a cobrir o vale gretado das faces, o sangue alojado entre os dedos, entre os dentes.

– Guiné! Larga a faca!

O soldado parou por segundos na poeira revolta da parada, limpou com a manga restos salgados de lágrimas dos lábios.

– O meu alferes não se aproxime que eu corto-lhe os tomates rente!

Os soldados perplexos fitavam a cena coroada de faroeste, em alguns rostos o medo começava a ceder à raiva acumulada, já que não se conseguem matar os turras porque os cabrões se escondem e fogem e disparam sem que um gajo consiga ver de onde vem o caralho do tiro, mata-se o Guiné, está mesmo à mão de semear, com o luar a desenhar-lhe no peito um alvo certeiro, mata-se o Guiné e pode ser que dessa maneira morra um pouco de nós, aquela parte incómoda que não nos deixa revoltar-nos, mata-se o Guiné e imaginamos que o sangue dele, a irromper da boca e dos ombros numa suavidade de óleo de bronzear, é um pouco o sangue de todos os que morreram aqui, nesta terra de morcegos e areia, pode ser que fodendo o canastro a este transmontano de olhos de menino surja em nós um rastilho de alívio, um princípio da vingança que imaginamos se estamos sozinhos, ou deitados, ou bem bebidos, e a raiva se incrusta, dolorosa, nos dedos, no estômago, nas pálpebras.

– Guiné, não te volto a avisar! Ou largas essa merda ou perco a paciência e mando-te prender!

Guiné, ajuda-me a ajudar-te, larga a faca, por ti e por mim, estes gajos estão todos mortinhos, Guiné, quando a estupefacção e a hesitação se forem embora, a rodearem-te devagarinho, de manso, como se fosses um animal acossado, um leproso, qualquer coisa que não compreendem e os assusta, um monstro qualquer regressado dos pesadelos da infância, olha para mim, Guiné, ridículo, magro, abatido, desfeito, eu também não queria vir para aqui, eu também estou farto, também amo muito uma mulher que não tenho, que não me deixam ter por completo, também eu, Guiné, sinto vontade de matar tudo o que não posso ter, tudo o que me escapa e me revolta, por isso te peço, larga a faca, olha para as caras deles,

– Menino, olhe que se faz tarde!

olha os seus olhares furibundos, as bocas cerradas, ouve, Guiné, o meu apelo surdo à medida que avanço na direcção dos teus braços de pedra (e se ele me mata?), às tuas sobrancelhas descaídas, pressente o silêncio pesado que pode ser rasgado a qualquer instante, um tiro, transmontano dum raio, é tão fácil, és tão grande, eles estão com tanto medo, também eu que continuo a avançar para ti, nunca o meu passo foi tão seguro

– Ó meu alferes, por favor pare aí onde está!

Nunca a minha decisão foi tão grande, tão completa, tão irreversível, deixa-me salvar-te, Guiné, deixa-me regressar por ti a tudo o que deixei de fazer, a tudo o que fui adiando, sentia as botas a sulcarem a mansidão da areia, nenhum ruído, sentia os olhos dos soldados nas suas costas, sabia que era naquele momento a esperança desgarrada de todos, a salvação, tu nem sabes, Guiné, o que és neste momento, antes fosses só um soldado desesperado que despedaçou uma rapariguinha que não queria partir com ele, chegou finalmente junto da montanha trémula do transmontano, à distância de uma facada, estendeu-lhe a mão, olhou-o de frente.

– Dá cá isso.

– O menino desce ou não desce?

O soldado deixou transbordar o vulcão que o afogava por dentro, deixou cair o punhal ensanguentado (esse sangue sou eu e tu também, Guiné), abraçou-o como se o fosse estrangular, e o menino dentro de si pediu perdão, pediu ajuda.

– Ó meu alferes, o que é que eu fui fazer?

Mas em vez de responder Salvaste um pouco de mim, rebentaste a barreira de amor que eu desconhecia, descortinou, a pouco e pouco, a noite de África a diluir-se na superfície líquida do espelho e a dar lugar à sua cara de todos os dias, os olhos cada vez mais fundos, a boca desistida, de maneira que pensou É então assim que me pareço, mas disse

– Já desço, Emília, já desço.

O meu pai então chamou-me, Marta, vem cá, disse ele, de uma maneira grave que lhe desconhecia, um tom desaparecido mas irredutível. Foi isso depois da minha infância, depois dos colégios internos, das bonecas, da praia, da primeira menstruação, mas antes, tão antes da guerra, das minhas muitas guerras, o sopro que dilui a menina em mulher a florescer em forma de anémona no intervalo do meu peito assustado. Foi isso antes de o meu pai partir, foi isso aliás no início da sua despedida, que eu há tanto receava mas previa, foi isso no exacto momento da sua decisão, por isso a voz tão firme, por isso retirou vagarosamente os óculos, como quem pesa nesse gesto quotidiano o sentido e a força do apelo de uma vida.

– Marta, vem cá.

Eu estava a levantar a mesa, era Outono ou estava para ser, as folhas das árvores sangravam lágrimas de chuva na humidade cinzenta da relva, Gosto tanto deste jardim, gosto tanto de pegar num livro e sentar-me debaixo daquele pinheiro manso ali ao fundo, mesmo encostado ao muro alto que nos separa da Rua de Gondarém, pensei eu enquanto ouvia a voz do meu pai, suave como uma mão macia que desce pelos cabelos. Ele estava sentado na sala, no cadeirão de orelhas que desde pequena me habituara a considerar o memorial da sua presença, mesmo se estava ausente, mesmo se estava fora, tinha o jornal sobre os joelhos, os óculos encavalitados no nariz, eu estava a levantar a mesa, os pratos, os copos, as travessas, era domingo nunca mais me esquece, o mar enfurecido ameaçava de ondas adamastónicas a proximidade demasiado frágil da varanda, deixei cair um garfo, baixei-me para o apanhar, e senti nesse momento a presença da minha filha, ou do que viria a ser a minha filha dentro da minha barriga ainda lisa, oceano amainado para um veleiro prematuro, senti um ligeiro toque, uma ténue impressão, seria um pontapé, ergui-me sorrindo para dentro, um mundo totalmente novo, um arrebatamento, uma parcela desconhecida de felicidade, a minha mãe deveria dormir ainda àquela hora, de pachos de algodão nos olhos fechados e envelhecidos, de barriga para cima e braços abertos medindo a largura do colchão, um ressonar que lhe traía as muitas pulseiras de prata maciça, devia ruminar uma nova reunião de chá e bolinhos, uma nova festa, um novo jantar no Clube Portuense que lhe permitisse esquecer, através de risos estudados e comentários maldosos sobre as roupas dos outros, os sulcos fundos que os anos começavam a desenhar-lhe nos cantos da boca, os dentes apodrecidos abandonados num consultório de dentista por troca com duas placas sobrepostas resplandecentes de marfim, a ausência definitiva do sangue mensal que lhe garantisse restar mulher por dentro da carcaça Christian Dior que arrastava, orgulhosa, pelos jantares colunáveis da cidade.

O meu pai chamou-me, Vem cá, o meu pai chamou-me, Marta, e eu senti, ao mesmo tempo da minha própria presença dentro de mim, um arrepio no momento incompreensível, uma espécie de dor que latejava e queimava por dentro, mesmo ao lado dos olhos ainda fechados do meu fruto, a única e verdadeira dor, viria a sabê-lo mais tarde, quando todas as dores foram sendo amainadas por esta primeira, brutal, irreparável, ele chamou-me e eu soube que se ia embora antes que o dissesse, sabia que ia partir como nunca ameaçara fazê-lo, não sabia mas aprendi então a violência das despedidas armazenadas há séculos, só não adivinhava ao pormenor o que me iria dizer (Seria mesmo preciso dizer alguma coisa?), eu só não sabia o porquê apesar de sentir que aquilo teria de acontecer, mais cedo ou mais tarde. O meu pai chamou-me e a minha mãe dormia, não havia mais ninguém naquela casa naquele domingo chuvoso, de tecto pesado sobre as copas assustadas das árvores, um cargueiro gemia lá ao fundo, via-o distintamente lá no horizonte, para lá do vidro da varanda, para lá do jornal esquecido nos joelhos do meu pai, para lá, via-o, da estrada alagada da marginal onde os trilhos dos eléctricos emergiam como pedaços de madeira boiando ao sabor inconstante da maré, e mais ninguém havia naquela casa enorme, não por se encontrar ausente de alguma forma, mas por lá residirmos apenas nós os três há muitos anos (Quantos?), eu, grávida de três meses de uma filha que é hoje o meu único refúgio, eu noiva de um homem que a minha mãe preferia entender que nem sequer existia, a minha mãe que dormia, eram duas da tarde, domingo e chovia, a minha mãe dormia ainda nas profundezas aquosas dos soporíferos, e o meu pai, de jornal esquecido no regaço, uma voz subitamente flutuante, pescoço musculado de marinheiro, a mesma vontade de partir.

Éramos só os três porque depois do parto difícil e sangrento que me pôs no mundo a minha mãe decidiu não ter mais filhos, resolveu ter cumprido a sua obrigação, fez uma operação que precavesse riscos desnecessários de incómodos inchaços, por ela não teria havido o primeiro sequer. Mas teve-me, para que não se duvidasse da sua fertilidade, da sua condição inequívoca de mulher, afinal todas as suas amigas tinham descendência, muita dela nascida ao mesmo tempo que eu, na Primavera de 45, outros mais cedo, outros mais tarde, mas de certeza que nenhum deles passou pelo que eu passei, viveu como eu vivi, sob o capacho demolidor de um contínuo olhar penetrante que me acusava, como viria a acusar a minha filha, de existir, de lhe lembrar, pela minha presença apagada na casa, que o tempo estava a passar, que me acusava, sempre o senti, de lhe ter rasgado a vagina, de a ter feito ter convulsões e preocupações e despesas. Vivíamos os três e eu perguntava-me continuamente porque aguentava o meu pai aquilo. Ele gostava dela, sei-o hoje, por isso partiu nesse domingo de chuva ininterrupta, para não a ver envelhecer, porque ele sentia que ela não saberia nunca envelhecer, essa corrida perdida na largada, também eu começo agora a sentir a pele mais rugosa, as coxas mais flácidas, a vista que me falha se leio de mais à noite, sempre soube dos seus sucessivos desgostos ao sentir pela manhã as pregas da barriga libertas da prisão rejuvenescedora das cintas, o peito mirrado e seco que tentava a todo o custo empinar numa teimosa obstinação angustiada, o meu pai sabia e eu sei hoje também que a raiva dela não era provocada pela minha juventude, pelos meus olhos grandes e escuros, pelos meus seios que se erguiam triunfantes dos decotes dos vestidos de Verão (Apúlia), pelo cheiro a sardinhas e cavalas e atum que por vezes se incrustava, enjoativo, nas mãos do meu pai, se ele descia do gabinete ao armazém da fábrica de conservas que nos pertencia há gerações, para ver de perto a azáfama dos trabalhadores. A sua raiva era contra si própria, contra as suas mãos invadidas a pouco e pouco pelo traçado de mapa de veias salientes, a sua raiva, quem sabe, talvez não fosse contra si nem contra ninguém, talvez fosse apenas uma maneira de permanecer viva pela negativa, odiando-nos e fazendo-nos sentir odiados, de tal forma que ainda hoje, se estou só na cozinha a passar vagarosamente a louça por água quente, sinto esse caminhar penoso que empreende contra o tempo e o espaço que lhe faltou para nos amar, como às tantas gostaria de ter amado.

Vivíamos os três, apesar de não sermos três, mas sim um mais um mais um, porque o meu pai também desde cedo se alheou, por outras razões, é certo, mas a verdade é que desde cedo desistiu, dizia-me Bons-dias e Boas-noites de praxe, o meu pai distanciou-se, emudeceu por dentro das suas crescentes ausências, falava apenas o suficiente para se fazer compreender, só para se fazer compreender, nunca para além disso. Eu sentia saudades da minha infância, falhava-me o tempo em que ele não tinha ainda desistido de mim, ainda não me tinha abandonado às vagas atenções desinteressadas de minha mãe, o tempo em que eu passava tardes a fio a vasculhar-lhe as estantes empoeiradas do escritório. Porque quando eu era pequena não me importava com as suas ausências, sentia sempre a sua presença inabalável em todos os recantos daquela casa monstruosa, sentia ainda o seu cheiro na minha roupa e no meu cabelo, sentia que ele existia em qualquer lado, ainda que não estivesse naquele momento ao meu lado, sentia-lhe a voz, nesse tempo vigorosa, sentia, mesmo se ele estava para a fábrica ou numa das suas intermináveis viagens, que a qualquer momento me poderia abrir a porta do quarto sem nenhum ruído, a não ser o da sua ternura a espalhar-se pelas paredes coloridas do meu quarto de criança.

E foi por iso, acho eu, que fiquei aterrada naquele momento, não por sentir a minha filha pela primeira vez dentro do meu corpo magro, mas por ele me ter chamado nesse preciso instante, naquele estonteante momento, Marta, chamou o meu pai, e eu disse dentro da garganta sem que o notasse, Por que é que nunca me chamaste assim antes? Que se passa para esse teu grito de afogado, Onde em ti o meu nome dito assim?

– Pai?...

Foi o que me saiu para não me saírem as lágrimas, sei-o hoje, apertei os lábios, a minha mãe dormia, descansei a minha parte de bicho com as palmas trémulas das mãos, disse Pai?

– Filha, chega aqui um bocadinho. Preciso de falar contigo.

Disparei para a cozinha para não ver a minha máscara reflectida no armário pesado da sala de jantar, meus olhos assustados, parte irreal de mim, meu pesadelo. Minha desgraça. Os meus olhos sempre molhados, sempre prontos a rebentar. Onde o início do meu medo. Talvez em ti ou por ti, pai, demasiado carente para me transmitires segurança, dividido sempre entre o que tinhas a fazer e a hesitação em fazê-lo. Entrei na cozinha, as mãos tremiam, os lábios tremiam, não vou chorar, tu sabes que eu sei. Saí a limpar distraidamente as mãos a um avental imaginário, Diga, a chuva não parava de cair, agora um pouco dentro de mim também, Senta-te, pode demorar um bocado, Queres tanto tempo para me dizeres o quê?, pensei, avancei para a sala de estar, ouvi uma porta que batia no andar de cima, a minha mãe acordara, incomodada pelo burburinho das bátegas na vidraça, aborrecida com o hálito a fénico que se volatilizava da sua língua azeda. Voltou a beber de mais, pensei, voltou a esvaziar o que restava da garrafa de gin, protegida na escuridão do quarto, entrei na sala, o meu pai tinha pousado o jornal no chão, ao lado da cadeira.

– Senta-te aqui.

Apontava-me ele uma frágil cadeirinha de palha que eu trouxe um dia (Quando, Pedro?) da feira de Barcelos, uma cadeira inofensiva ameaçada de torturas mobiliárias pelos sofás mais antigos da casa que a cercavam num desprezo aveludado, apontou-me a cadeira e eu olhei-o, era domingo, disso nunca me esquecerei, ouvi lá em cima o estertor de um autoclismo, sentei-me e desviei os olhos para o chão, a minha filha remexia-se no útero, alterada com a minha tensão, levantei devagar as pálpebras, Já sabes, pensou ele de certeza, porque me sorriu com os mesmos lábios curvos que me contavam as tristíssimas histórias da Rapariguinha dos Fósforos ou do Oliver Twist, povoadas de órfãos e nevoeiros, porque me sorriu da mesma forma que sorria quando eu adormecia com a cabeça no seu colo, nas noites em que a minha mãe reclamava festas e ele reclamava dores de cabeça que lhe permitissem ficar sozinho comigo.

– Marta, eu vou-me embora.

Eu ouvia os passos irritados da minha mãe lá em cima, os passos de leão na jaula sobre a minha cabeça, fingi que não o ouvi, olhava fixamente para ele mas não para ele, o meu olhar atravessava-o, despedaçava-lhe o rosto como um simples pedaço de tela, via mais longe do que me queria mostrar, Esperaste que eu crescesse, estou mesmo a ver, mas estás completamente enganado.

– O quê?

Passeou os óculos pelas mãos, guardou-os numa bolsinha de plástico, suspirou sem se impacientar, chegou-se um pouco à frente na cadeira, apoiou os cotovelos nos joelhos, o queixo nas mãos, os indicadores apontavam a vertigem perdida dos olhos, eu estava mais calma do que o que realmente estava, um remoinho perdido na cabeça, Onde vais, Para que longínquo lugar fora das minhas certezas

– Marta, eu sei que tu sabes que me vou embora, que há muito tempo que quero ir-me embora,

para que lugares longe de mim, para que distante sítio a que não pertenço, o meu pai fitava-me de olhos subitamente sérios, como quando me repreendia sem o querer realmente fazer, um cortante silêncio lá em cima, mas agora, espera, sim, o barulho de água a correr, minha mãe, minha hibernação perdida, prepara o banho, espalha de certeza sais e cheiros e espumas no lago vulcânico da banheira incandescente, sua única jangada de viagens a que empresta a magnitude hollywoodesca de gestos de cartão, até que a voz necessariamente dura do realizador Corta! a liberte da letargia sem remédio onde se afunda, Demoras-te sempre tanto no banho que me parece que é esse o teu único mundo, o único que te permite patinar nas nuvens do desejo, a pele miraculosamente lisa, as nádegas de novo duras, se calhar nunca as tiveste, por isso me menosprezavas se me vias adormecida nos lençóis eternamente revoltos do meu quarto de adolescente, o tronco nu, as cuecas arregaçadas pelos movimentos do sono, uma perna que pendia, ingenuamente apetecível, da encosta escarpada da cama, o ar impregnado, entendo-o hoje, de uma tonalidade de frescura que desconhecias, que não te era familiar, e que esperavas roubar espiando-me sem uma palavra da porta entreaberta.

– Porquê?

Foi o que disse como se não o soubesse, como se não me lembrasse das suas maneiras progressivamente mais pesadas com os anos, como se tentasse negar, ali e naquele momento, em frente aos seus olhos negros, que lhe adivinhava a escalada penosa da desistência. O meu pai olhou também para a imensidão do mar, cinzenta e sufocante, Em que estarás a pensar, Que me irás responder.

– Porque não quero morrer. Ou melhor, não quero que me vejam morrer.

As mãos tão pendentes, os olhos sem brilho, Estás onde?, na fábrica, a olhar pela janela suja os detritos que se amontoam nas traseiras, na fábrica, a ouvir o tilintar escarninho das máquinas das dactilógrafas, onde?, na quinta de Nine ou a caminho, será que sentes o ronronar manso do motor do carro em frente ao portão fechado, sais para o abrir, as tuas botas de campo esmagam o cascalho num aperto de quebra-nozes, ouves os cães a ladrar ao teu encontro, pressentes a arquitectura disforme das árvores de fruto que se estendem, numa carícia verde e amarela e vermelha, pelos caminhos tortuosos do pomar? Onde estás? Deixa-me regressar ao útero que quero, numa força suicida, que exista em ti, minha casca, minha casa, deixa-me ficar em ti e por ti, para sempre, que me faltam os músculos de existir se te vais.

– Tenho a certeza que há muito que o sabes.

Recomeçar, meu deus, recomeçar como, onde sem ti, reaprender devagar o tempo uniforme de estar sozinha, ouvi o mar que rugia num clarão de demónio, procurei-lhe a macieza perturbante das mãos, retirei logo os dedos, envergonhada, amedrontada, arrepiada, ele procurou a curva trémula do meu queixo com o indicador num gancho terno.

– Marta, já estás crescida, tens quase dezanove anos. Há quanto tempo esperas ou receias que te diga isto?

Há quantos anos deixaste de ir à quinta, há quanto tempo deixaste de te levantar de manhã com aquele sorriso que acalmava e iluminava os meus medos escuros, há quantos, quantos anos definha por minha causa numa rigidez triste de moribundo.

– Eu sei, pai, não é isso...

Retirei os olhos dos dele, abri-os e fechei-os com dificuldade, envidraçados de lágrimas, senti um apertão cá dentro, na barriga, no fígado, sei lá, nos rins, na coluna, uma impaciência de feto, que pensei Como é que te vais embora se te sinto dentro de mim, a importunar-me? Se não me deixas regressar a ti então entra em mim de um só golpe, pensei, toma-me, implorei.

– Marta!

Agora um grito estridente lá em cima, Traz-me qualquer coisa para comer!, funguei, passei as costas da mão pelas cavidades dilatadas do nariz, e outra vez, Marta!, o meu nome irritado no andar de cima, uma tempestade qualquer a tomar forma definida na prisão do meu peito convulso, os olhos do meu pai, os olhos dele, lembro-os tão bem, a sua timidez aguada e desgastada, a procurarem em mim, nos meus olhos, o refúgio último da sua redenção, os olhos dele a denunciarem braços caídos, Marta!, levantei-me, tentei erguer a cabeça à altura da sua despedida, Marta!, o meu pai olhou longamente o mar enorme, esboçou um sorriso onde li dolorosas certezas, nunca mais voltaria à quinta, nunca mais faria o caminho para Nine, nunca mais beberia aguardente na varanda de madeira, de respiração suspensa para escutar a serenata monocórdica dos grilos, MARTA!, o meu pai olhou o mar e olhou-me depois a mim e eu fiquei sem saber qual deles me levava o outro.

– Já subo, mãe, já subo.

– Não me apetece puto ir jantar fora, pensou enquanto assistia ao lento mergulhar da tarde, à imensa vermelhidão do anoitecer no jardinzinho das traseiras da casa da mãe, Se ao menos arranjasse coragem para falar à minha filha, levou aos dentes mais um gole de gin tónico, trabalhou-o na boca como se mascasse tabaco num saloon, mas em vez de cuspir para o lado e dar um tiro no meio da testa do gajo que fazia batota, levantou-se da cadeira de lona azul e dirigiu-se ao telefone.

– Pedro, tu jantas cá?

A quem vou eu telefonar, por que é que vou telefonar.

– Ainda não sei, mãe.

Ouvia o ruído compassado do lado de lá da orelha, um agudo que visualizava como uma alfinetada no sono da mulher, remexeu-se na cadeira, levemente inquieto, levemente irritado consigo, apertou um cigarro entre os lábios, procurou um isqueiro ou um fósforo ou qualquer porra que desse lume entre as cigarreiras de prata, os passepartouts com fotografias dele e dos irmãos mais novos num tempo de que já se sentia excluído mesmo em recordações, ao pé da jarra de Almansil da qual se erguia, num orgulho murcho, uma rosa amarela.

E foi então. À medida que se enervava com o tinir inútil do outro lado do fio, a figura do pai ia tomando forma junto à estante pejada de lombadas poeirentas, o perfil do pai erguia-se devagar, numa calma volátil, da fotografia que o fitava da inquieta imensidão da morte, sentiu o pai a passar por ele, sentiu-lhe distintamente o cheiro forte a tabaco de cachimbo, a presença viril das suas mãos largas, trrrim do lado de lá, viu, num assombro amedrontado, o pai a retirar um livro grosso da desordem da estante, a abri-lo, a passar, trrrim, um olhar perscrutador pela página escolhida, pensou imediatamente Eu é que morri, Eu é que já não pertenço aqui, porque não conseguia explicar este estranho regresso, esta naturalíssima maneira de continuar, de perpetuar os mesmos gestos, os mesmos odores, como se não tivesse havido qualquer morte, como se a ausência a que já se habituara fosse uma mentira pegada, trrrim, um sonho de que acordava agora, Nunca supus que voltasses, Nunca me passou pela cabeça que serias incapaz de deixar as tuas coisas, de abandonar os teus livros inúmeros, Por que partiste se és incapaz de partir, trrrim, Estou?

– Estou?, desculpa, Sónia, a Paula está aí?

Imaginou a cara chateada da amiga que vivia com a mulher num concubinato estudantil de que ainda não compreendera as regras e os costumes.

– Está a tomar banho, que é que lhe queres?

Que tem esta gaja a ver com isso, irritou-se por dentro, que tem esta gaja de quase vinte anos menos que eu a ver com os meus assuntos, que confiança lhe dei para me falar assim, sentiu de novo os preconceitos que lhe haviam levado tanto tempo a ultrapassar, a combater, a pôr de lado, a retomarem uma forma definida na sua cabeça confusa, imaginou, furioso, a mulher a chegar a casa depois da discussão da manhã, a atirar a saquinha de palha que lhe servia de carteira para o chão, a resfolegar de raiva autêntica (Acho que nunca a senti, como será?), a disparar na direcção da casa de banho, a abrir com força a torneira da banheira, um violentíssimo jorro de água a entrar incomodamente no descanso da amiga que, sem se levantar, se interroga sobre o que se passará, a retirar com dedos tremententes de indignação os muitos ganchos do cabelo, a deixar cair Foda-se! o frasco do creme para tirar a pintura, a fazer um alarido espectacular, um barulho ilimitado, um escarcéu sem igual, numa tentativa de abafar o incómodo ruído do desgosto que a comia por dentro, não tanto de verdadeiro sofrimento mas de despeito, pela primeira vez sentia fugir-lhe o controlo de uma situação.

– Diz-lhe que quero falar com ela, que a convido para jantar.

– Quando vos dá o arrependimento, claro, são todos desculpas, todos atenções!

Imaginou, chateadíssimo, fitando os olhos parados do pai, o chorrilho de asneiras com que a mulher havia com certeza apimentado o relato dos acontecimentos à amiga, a indignação, o Tu vê-me lá que o gajo, o Imagina que o cabrão, e as duas numa intensa cumplicidade feroz, sentadas à chinesa na cama enorme que compartilhavam (Nunca percebi muito bem esse esquema), ou em pé, nervosa, calcorreando o chão sujo da cozinha, dizendo mal dele aos tachos com anéis de sopa que se amontoavam na banca, acusando-o perante um tribunal de frigideiras e pratos e copos de ser um cobarde, de ser um indefinido, de com quase quarenta anos não saber o que quer quando elas, com pouco mais de vinte, sabem bem o que é a vida ou o que ela tem para oferecer, quando elas conhecem e ultrapassam os seus mecanismos pérfidos com uma perna às costas, quando elas a rasteiram rindo com segurança.

– Tou?, disse a voz aborrecida da mulher.

– Paula? Ouve, aquela merda de hoje de manhã foi uma estupidez do caraças, eu estava chateado, dormi mal, e bastou-me passar a tarde a pensar nisso para chegar à conclusão de que não vale a pena chatearmo-nos por causa das minhas paranóias.

Tanta estupidez, tanta pomposidade que sei que ela detesta de permeio com tantas palavras sem sentido (Onde aprendi eu a falar assim?), tantas palavras boçais, grossas, feias, só agora me apercebo disso, tanto fraseado a que me habituei contigo, lembro-me que achava uma certa piada nos primeiros tempos, os meus amigos espantavam-se ao ouvir-te falar. Podes crer Iá, Sai dessa, e eu sorria-lhes naquilo que tomava como um certo orgulho, uma espécie de estatuto de diferença conseguido através de ti, da tua presença segura, da tua linguagem sem dúvidas, algo que me garantia então poder continuar a existir, a sair, a conversar dentro de um universo novo que me distanciaria, aos poucos, do tempo a que recusava regressar.

– Vem-me buscar às oito e meia. Por um lado é bom, há certas coisas que tens que ouvir, que é bom que metas nessa cabeça.

Seria uma ordem, seria um pedido, não sei, infelizmente não sei, tenho a sensação de que nunca te compreendi muito bem, a tua maneira brusca de pores o preto no branco, a tua forma ossuda de me gritares aquilo que sempre achaste que me deveriam ter dito, aquilo que nunca ouvi. Talvez devesse realmente ter falado à minha filha, faz-me tanta falta estar com ela, angustia-me tanto viver na mesma cidade que ela e só de longe, à distância da minha enorme cobardia, conseguir imaginar por alto o que fará, com quem se dará, que sítios frequentará, se alguma vez, quando e se a solidão a aperta, se lembra de mim, e se isso acontece que tipo, que espécie de sensações lhe despertam os meus olhos tristes imobilizados e cegos na planície inatingível da fotografia que desconfio, que espero, que desejo possua minha.

Baixou lentamente o auscultador, assustou-se com o clique que lhe significava sempre angústia e vontade de fugir, que lhe despertava o poderoso, inamovível rochedo da distância, perdeu o olhar nas rachas do tecto que se assemelhavam a rotas fluviais num mapa de cal, ouviu um aspirador lá em cima e a voz sempre aveludada da mãe.

– Então, filho, já sabes se jantas ou não?

Sentiu, com o mesmo pânico com que na infância via amigos seus fisgarem pássaros indefesos nas copas ondulantes das árvores, que seria incapaz de se assumir de uma vez por todas, incapaz de fazer brotar, das traseiras da máscara incómoda que ostentava, uma espécie de botão florido da esperança.

– Não, mãe, não janto.

Anteviu a refeição solitária da mãe, sentada em frente ao prato e aos talheres numa imobilidade de monge tibetano, ouvindo atentamente, de copo de água suspenso a meio caminho entre a mesa e a boca, os diálogos edificantes da telenovela. Adivinhou o resto da noite em frente à televisão, em frente aos filmes, às variedades, aos concursos, aos debates políticos, e em frente a tudo isto a expressão cansada, as pálpebras cada vez mais pesadas, o começo dos bocejos, a dor nas costas quando finalmente se levantasse para desligar o aparelho ao som do hino nacional, para recolher as agulhas, os novelos de lã, os óculos, para ir à cozinha ver se está tudo desligado, para subir lentamente as escadas e estender-se na cama tentando esquecer que os filhos não lhe telefonaram, não apareceram, não deram qualquer sinal de si, para esquecer que o filho que vivia novamente com ela estava também com uma expressão cansada, com uns olhos mortiços, para tentar não se lembrar das noites em que subia a esta mesma hora e o marido lia, encostado à parede que se erguia como uma fronteira por trás da cabeceira da cama, das noites em que se despia sem uma palavra e se deitava ao lado da granítica gravidade do marido, dos olhos parados do marido, das mãos imóveis do marido que imaginava de súbito vivas e novas, a percorrerem-lhe de novo as costas, os seios, a última curva de precipício antes das nádegas, um frenesim de gemidos e suspiros abafados a pouco e pouco por uma inércia que desconhecia, para a qual não encontrava justificação, nem razão, nem fundamento, uma inércia e um desinteresse que cresciam, imparáveis, nos gestos marmóreos do marido.

Quando eu for grande e fizer a barba, pensou enquanto se dirigia para o seu velho Volkswagen, quando eu for grande e fizer a barba pura e simplesmente acabarei por me aborrecer por ter que a fazer. Quando eu for grande, pensava eu quando era pequeno, posso fazer milhões de coisas que neste momento não posso, porque me falta a permissão, porque me falta a maturidade, porque me falta, porque não o admito, a verdadeira vontade. Além disso, que haverá agora para fazer que nunca tenha feito, que haverá, agora que sou grande, que resista ao sonho, que perdure em desejo por dentro da sordidez dos dias que vou aprendendo, num misto de inevitabilidade e desilusão, não corresponderem às expectativas de infância que me habituei a considerar como directriz, que me habituei a delinear como único horizonte.

Abriu a porta do carro, deixou-se ficar por um momento sem entrar, aspirou com força a humidade da noite, interrogou-se sobre o que iria fazer quando finalmente se sentasse ao volante, para onde arrancar, tomar que direcção, e o pior é que o sabia bem de mais, mas não a razão verdadeira, o sentido, Não adianta pensar muito, as vezes que me lixei por causa do excesso de lucidez. Bateu a porta, o calor húmido pegava-se-lhe às mãos e aos mínimos gestos, sentiu a escalada da renúncia, Já não é tempo disso, inclinou-se ligeiramente para ligar o rádio e a posição foi o suficiente para que o retrovisor lhe devolvesse um pedaço da cara, precisamente o mais incómodo para quem foge, aquele em que se divisam os bichos assustados dos olhos, ampliados pela proximidade de lupa do espelho, e por trás de si, entre o seu fragmento de cara e o vidro de trás, apareceu devagar, como uma miragem duvidosa, o rosto grave do pai, a face envelhecida do pai, o pai, tão grande a surpresa, tão súbita a estupefacção que por momentos ficou à espera de ouvir, Siga aquele carro, seria de repente taxista, o pai seria um detective, um polícia, um marido despeitado, imaginou a cena irreal para se convencer de que se tratava de um sonho do qual acordaria dali a pouco, ficou sem palavras para dizer, não esperava também ouvir nada, os fantasmas e os sonhos não falam, os mortos não voltam, e se voltam como este, para quê, que os faz regressar, num gesto de arrependido, ao local do crime, a revelar-se possível a história policial. Não só ficou sem palavras como não se conseguia mexer, fitando de olhos expectantes os olhos inexpressivos do pai até que o ouviu dizer Arranca, mais ou menos o que esperara ouvir, mas a voz era mesmo a do pai e não de um detective fanhoso, não a de um marido nervoso, mas a voz a que se habituou, há tanto tempo, a pedir-lhe para ir comprar o jornal, a pedir-lhe para meter o carro na garagem, a dar-lhe os parabéns sem levantar os olhos do jornal sempre que passava de ano, a mesma voz, caramba, que julgava já ter esquecido, que pensava já ter arrumado de vez numa daquelas gavetas da memória em que não nos atrevemos nunca mais a tocar, porque nos dói, porque nos irrita, porque nos faz chorar, porque simplesmente nos faz lembrar, seria por uma destas razões ou por uma outra insuspeitada e escondida, não sabe, só que reconheceu a voz, nem precisava de ter visto o rosto cansado do pai reflectido no espelho, nem precisava de lhe sentir o cheiro na confusão de odores do Volkswagen, não precisava de aspirar de novo aquele misto de charuto e creme de barba, e ao longe, por trás de todos os cheiros, numa superfície enevoada e irreal, um sabor que compreendia agora que o pai sempre transportara, uma sensação de espuma e areia, Arranco para onde, sentiu-se imbecil por o ter perguntado, Estou a falar com quem, pensou, Estou a fazer o quê, mas o pai disse Para onde quiseres, não ias jantar fora?, Ia, Então arranca senão chegas atrasado, e sem raciocinar, sem entender o que fazia, rodou a chave, acelerou duas vezes, destravou com a mão, embraiou, meteu a mudança, e por dentro destes pequenos movimentos sentiu-se imbecil, disse-se que não podia ser, como sabia o pai, por exemplo, que ele ia jantar fora, e mais, que estava atrasado, mas acabou por arrancar no preciso momento em que o pai lho havia ordenado como quem aconselha. Por que raio falava sozinho no carro, por que perscrutava de olhos ávidos o banco de trás através do espelho diminuto, agora não via ninguém, pudera, o pai sentou-se no banco ao lado do seu, antes que pudesse dizer alguma coisa, o que certamente não faria, falou o pai Não te preocupes, só vou contigo até casa da tua namorada, quando a fores chamar parto, e uma vez mais a interrogação lógica, a pergunta amedrontada Como sabe ele que vou buscar a namorada, como descobriu que ela existe, ele que assistiu de ar devidamente circunspecto ao meu casamento com a Marta, ele que me aconselhou, que me deu preciosos palpites para educar os filhos do futuro, a disciplina, sobretudo a disciplina, esquecido nesse momento de que falava comigo, com o próprio filho, alguém que tinha provado bem a disciplina, a rigidez, a verticalidade de espírito, ainda bem para ele que morreu antes de ver a minha filha crescida, ainda hoje lembro a sua expressão resignada com a notícia do nascimento, mas no fim de contas a disciplina também se aplica às raparigas, se não sobretudo a elas. Se sabe agora tudo o que sabe, é impossível que não saiba que não vivo com a minha filha, que não vivo com a mãe dela, que não sei nada delas, e pior, que não quero saber ou penso que não quero saber, é impossível que não saibas o que passei na guerra, mesmo com essa súbita esperteza de morto te deve escapar o que desconheces em absoluto, aquilo que no entanto se passava mesmo debaixo do teu nariz inteligente, se conspirava mesmo ao teu lado, a preparação minuciosa do inferno dos teus filhos, dos filhos de todos os pais deste país, que contigo arvoravam a verticalidade de espírito e cantavam virtudes, a disciplina acima de tudo, inconscientes carrascos sem armas.

Subiu a Avenida Marechal Gomes da Costa, chegou à Avenida da Boavista, virou à direita, passou a manjedoura da Cufra, a cidade parecia-lhe um projecto inacabado, uma maqueta tímida, É por isso que estou triste, como não o estar se esta cidade é triste, se esta cidade carrega consigo, sem que nos apercebamos, todo o peso e todo o tédio que me mói os ossos, as ruas são tristes, os passeios são tristes, os cafés são cinzentos e parados, cruzam-se as mesmas caras, repetem-se gestos, serviu-lhe a observação melancólica para quebrar o silêncio, Acha a cidade muito diferente?, o pai continuou a olhar em frente, disse sem o fitar, num suspirado bafo de cachimbo Tudo mais ou menos na mesma. Pensou de imediato que o pai mentia ou que não encontrava nada melhor para dizer, ocorreu-lhe que a pergunta talvez tivesse sido estúpida, achou-se de novo em frente a uma parede, Já quando eras vivo era assim, recordou, sempre tão difícil arranjar conversa, sempre tão difícil arrancar dessa muralha de silêncio, desse alheamento de eremita, uma palavra que fosse, uma reacção ínfima que nos garantisse que existias, que nos provasse que te importavas, que por detrás do negro cinzelado dos olhos distantes nos mostrasses quc cras gente também, com coração e lágrimas e uma boca para rir, que. Foi diminuindo lentamente a velocidade, aproximava-se da luz vermelha de um semáforo, estacou finalmente a marcha, achou-se confuso, um pouco perdido, desta vez foi o pai a falar, a perguntar Como está a tua mãe?, assim, entre duas cachimbadas (nunca tinha percebido que este cheiro me enjoava), assim, como está a tua mãe, como se não o soubesse, ele que agora depois de morto sabia tudo, adivinhava tudo e de tudo falava com autoridade, como está a tua mãe, como queres que esteja, Está bem, Óptimo, que quererás dizer com isso, terei descoberto nessa palavra banal, nesse som de ocasião, um fio tímido de ironia, uma ligeira pena por estares morto, quando em vida tentaste fazê-la feliz, talvez te irrite sabê-la agora bem, agora calma, ainda assim aposto que topaste que minto, o semáforo mudou para verde, arrancou aos tropeções, que disfarço, que tento demonstrar-te, em vingança, que estamos todos bem, todos bem sem ti é o que quero dizer, é o que quero deixar transparente, a minha ingénua maneira de te dizer as coisas na cara agora que já não é o tempo de as dizer, agora que é tarde, que é irremediavelmente tarde, não me venhas com estas merdas de aparições de outro mundo para nos convenceres de que ainda se está a tempo de tudo, que tudo é ainda possível, custa-me um bocado a engolir o renascer da tua presença, a cidade começava a amarrotar-se aos poucos por entre a vagarosa tenacidade do luar, Pai, Diz, O que é que o pai veio aqui fazer, o que é que o pai quer, É necessário precisar-se de alguma coisa para se visitar o filho mais velho, para ver como ele está?, Mas porquê agora, Sei lá, chama-lhe recuperar o tempo perdido se quiseres, Visitar-me, dizes isso como se tivesses tocado à campainha sem mais nem menos, depois do jantar, e dissesses Olá Pedro resolvi passar por cá, há que tempos que não nos víamos, há séculos que não conversamos de homem para homem, de pai para filho, há tanto tempo que não sei nada de ti. Mas não, morres quando eu mais precisava de ti e apareces-me quase vinte anos depois, com o ar mais natural deste mundo, a querer recuperar o tempo perdido, O que é que isso tem de mal?, Ainda perguntas qual é o mal, nunca te passou pela cabeça que os outros também podem ter tempo a recuperar, nunca te ocorreu que os outros podem ter sofrido muito contigo e não querem continuar a sofrer com as tuas ausências ou presenças despropositadas, É para resolver isso que estou aqui, Para quê?, Para conversar contigo, saber o que se passou contigo nestes anos todos, Não me faça rir, então ainda há pouco sabia tudo, o que se tinha e não tinha passado e agora quer-me pedir informações, Sei o que se passou, é das vantagens de se estar morto, sabe-se, observa-se à vontade, vê-se, mas não se consegue perceber o porquê das coisas, a razão por que acontecem, só se vê que acontecem, por isso te queria perguntar, O quê, Os porquês, Nem os vivos às vezes os sabem, calou-se, olhava distraidamente a rotunda que se aproximava como um oásis de luz e árvores, o pai disse Pedro, Que é?, Reparaste que há pouco foste capaz de me tratar por tu, não, não tinha reparado, tentou lembrar-se e sentiu-se corar, disse Grande coisa. O pai sorriu.

Parou o carro em Oliveira Monteiro, improvisou um parque em cima do passeio, as línguas de borracha dos pneus lamberam o açúcar do alcatrão, desligou o motor e olhou em silêncio o pai, à espera que ele compreendesse, que ele se apercebesse de que o seu tempo de antena tinha acabado. Olhou o pai, pela primeira vez nessa noite, deu consigo a pensar Estás velho, que estupidez, tecer considerações sobre a aparência física de um morto, mas estava mesmo velho, a mesma cara que cobrira com um lençol naquela noite de Dezembro, tinhas ido visitar a tua neta, a minha filha, tiveste mesmo o mau gosto de ir morrer a minha casa, a falta de oportunidade de brincares com a minha filha, de lhe fazeres bilu-bilu, agarraste de repente o berço com toda a força, as veias do pescoço pareciam querer saltar, as das mãos também, as pernas começaram-te a tremer, foste-te tornando branco, pelo menos pareceu-me que te transfiguravas nessa cor, na penumbra do quarto, rodeado de ursos e palhaços e joões ratões de lã, a minha filha apercebeu-se de tudo antes de mim, eu ainda tive tempo para me interrogar, para tentar perceber sem me mexer o que é que se passava, ela não, começou, sem que nada o justificasse, sem que nada o fizesse prever, a chorar, a berrar, um som estridente que me pareceu excessivo, as mãos gelaram-se-me e começaram a tremer, para ali especado no meio do quarto, de olhos arregalados perante o cheiro da morte, de que me adianta ser médico se reajo assim, se não sei o que fazer nestas situações, se não sei por onde começar, a minha filha começou aos gritos, podia muito bem ser fome, podia ser uma dor qualquer, dessas que incomodam as crianças sem aviso, podia ser sono, mas ouvi logo a voz da minha mulher na sala O que foi, Pedro?, e logo a seguir, dentro do mesmo segundo, a voz da mãe a chamar por ti Alberto, puta que pariu as mulheres mais a merda do sexto sentido, que não sei que outro nome dar a estas premonições, a este arrepio que lhes percorre de repente a espinha, impossível de deter, de passar despercebido, a minha filha gritava como se nascesse, ainda tiveste tempo de procurar a superfície longínqua da cama, ainda conseguiste aterrar de borco na jangada impossível do colchão, tentaste dizer qualquer coisa, mas já não te saía nada, só um sussurro, uma pungente aspiração de asmático, um tímido sopro de vento, chovia, eu de boca aberta a balbuciar não sei o quê, a dar-me conta, assustado, da minha irremediável cobardia, do meu pânico sei lá de quê, do meu medo de ti, mesmo quando estavas a morrer, até que lá consegui, Pai, o pai sente-se bem?, uma vez mais uma pergunta cretina, das muitas que já fiz, já não te mexias, só a boca baloiçava um pouco, os olhos muito abertos (ou muito fechados?), desmesuradamente abertos, tão abertos e vivos, que não acredito que não tenhas visto a minha mulher a irromper no quarto, logo seguida da mãe, ouviste com certeza o seu grito abafado, da mãe não o ouviste porque ela não o deu, chorava em surdina, foi-se aproximando devagar da tumba do colchão, do sudário rendilhado da colcha, disse baixinho o teu nome, não percebi se te chamava se te afirmava, a minha filha calara-se, gemia apenas os suspiros incompreensíveis dos bebés, ocorreu-me que talvez te chorasse também, a mãe debruçou-se sobre ti (Lembras-te?), as faces numa cascata, beijou-te na testa, disse Alberto, nada mais, só Alberto, como se se compreendessem apenas com o som do teu nome, e foi então, pensa só na estupidez, que me ocorreu que nunca mais iríamos à Apúlia, desculpa-me mas foi isso que realmente me doeu, ainda não te podia chorar, ainda não me tinhas morrido, de ti só tinha ido a presença austera e protectora, és capaz de perceber?, apenas a tua figura de cabeça de família, ainda não me tinhas morrido cá dentro, naquele espaço que ninguém sabe onde é nem como é ou porque é, mas que dói como o caraças quando lhe tocamos ou quando nele nos tocam, ainda não tinhas morrido, entende, apenas deixado de ser aquilo que se é mesmo que se não queira, não tinhas, vê se percebes, ainda saudade, ainda memória, só uma dor incontível no peito da mãe, soube-o quando finalmente ergueu os olhos para mim, adivinhei como ela ia ser quando fosse velha, Pedro, ajuda-me a deitar o teu pai, como se tu, percebes?, estivesses convalescente de uma merda qualquer, como se tivesses adormecido em frente à televisão, como se estivesses podre de bêbado e não atinasses, como se fosses mais do que um saco de terra e bichos, como se não soubesses, caralho, deitar-te sozinho.

Um autocarro passou por eles a chiar, temível, rinoceronte cor-de-laranja, com o número vinte por corno único, na atmosfera quente da cidade, no ar pesado da Rua Oliveira Monteiro, de tal forma que abriu o vidro na expectativa de ouvir, por trás dos eucaliptos dos prédios feios, o metralhar enervante do batuque, a sua cadência diabólica, a sua negra persistência ancestral, mas não, apenas os ruídos a que nunca mais se reabituara, os autocarros, as buzinas, extractos soltos de conversas e passos, o cheiro a chuva, a cinzento, a gasolina, É altura de ir embora, disse o pai, Para onde?, o pai sorriu (sorrias tão pouco dantes), Um dia mostro-te, uma dúvida assaltou-o, Só me apareces a mim ou também à mãe, ao Miguel e ao Rui?, Pergunta-lhes, disse sem deixar de sorrir, Lixaste-me, pensou, lixaste-me como sempre, até depois de morto me continuas a lixar.

Marta, chamou o meu pai, Vem cá, disse ele, e eu senti nesse imperioso pedido todo o volume da sua irrevogável despedida. Foi isso quando, não sei, só sei que a minha filha existia nas minhas paredes interiores que desconhecia de vista mas afagava por fora, na pele da barriga, como se lhe fizesse já festas, já carinhos, já mimos, como se já a estreitasse nos meus braços magros, mas era a mim que abraçava, a mim que me doíam as pernas, a cabeça e as costas, não sei porquê, só que era Outono e chovia, um negro domingo de Outono. O meu pai ia embora.

Mas quando ele partiu, levando no coração parado espero que um sumo de mim, um qualquer vestígio da minha expressão presente nos lugares que visitaria, já eu não era criança, ou pensava que já não o era. Eu tinha saudades de ser criança ou de voltar ao tempo em que sê-lo era tudo e tudo encerrava, quando já uma outra criança se formava, com carne e osso, uma criança verdadeira, não um retorno mirífico pelas estradas da melancolia, não uma recordação, um suspiro, um olhar irreconhecido nas fotografias dos álbuns (eu de laçarotes e vestido branco ao colo do meu pai, eu na praia a brincar com o balde, o meu pai e a minha mãe lá atrás, ele a envolver-lhe os ombros com um braço tímido, ela com um ar já aborrecido, com um sorriso já arrancado ao que em si não tinha ainda rebentado em força e que viria a ser a chatice, o desprezo, o tédio, eu com ar assustado, com ar feliz, eu assim, eu assado, eu) mas uma criança mesmo, agora dentro de mim que ainda há tão pouco tempo o era ainda e me teria convencido continuar a ser se a minha filha não me viesse alertar, chorando noites a fio, de que era tarde para voltar atrás, que era tarde para voltar à quinta de Nine e restabelecer aí, embriagando-me de cheiro a fruta, o coração da esperança que me ultrapassara.

Já não era criança mas resistia em mim uma teimosia, uns lábios cerrados, fendidos, uma vontade pétrea de resguardar em mim o que só meu queria. Não era já criança, como aquela solitária que se perdia pelo tapete de folhas caídas na relva de Nine, como aquela adolescente pálida que chegou um dia à vastidão de areia da Apúlia, ao intenso odor de sargaço das ruas da Apúlia, à cumplicidade siamesa dos amigos da Apúlia. Nunca o percebi muito bem, é das poucas coisas que o caminhar dos anos se esqueceu de me clarificar, não entendo como é que uma aldeiazinha de pescadores e sargaço e marés-vivas fica tão dentro de alguém, tão profundamente dentro do que em mim resiste ainda, mesmo se estou triste, se estou alegre, se faz frio ou calor, sobrevive em mim numa cicatriz de revelação a tarde ventosa em que cheguei pela primeira vez à Apúlia, aí não era Outono nem chovia, pino do Verão de Agosto e ventava, muito, incessantemente, as ruazinhas de paralelepípedos varridas pela fúria inexplicável do vento norte, pela raiva encarniçada desse vento demoníaco que nunca deixei de amar porque sempre me lembra esse fim de tarde, o meu pai alugara uma casa por um mês, por minha causa, para eu fazer praia antes de irmos em Setembro para Nine, para a calma fontanária de Nine, para a madeira frágil das arcadas das varandas de Nine, eu precisava de praia, do ar duro e viril das praias do Norte, o meu pai achava que me fariam bem as bofetadas rasgadas do vento norte, eu era pálida e magra, disso lembro-me bem, como também me lembro que não fiquei em casa a ajudar a minha mãe a desfazer as malas, a arrumar a roupa nas gavetas, a varrer a sala poeirenta de uma casa então desconhecida, que viria a amar e a respeitar como se respeita um cavalo ferido ou um cão moribundo, não esqueço que decidi caminhar sozinha na direcção da praia, levava um lenço na cabeça, uns óculos escuros horrorosos que parece que se usam muito novamente, abraçava-me com força ao casaco de malha, a tarde caía em câmara lenta, o vento rugia, arrepiava-me a pele frágil e desprotegida da cara, das pernas que sobravam do vestido curto, dos pés engatados nas sandálias de couro, a pele que imaginava no momento existir na textura dos dentes, caminhei enregelada e só, na direcção do paredão que separava as ruelas da imensidão da praia, da sua glacialidade de Verão, de fim de tarde, e lá ao fundo, entre os esqueletos descarnados das barracas e a intranquilidade de espuma do mar, um grupo de jovens que adivinhei a olho nu rondarem a minha idade trocavam uma bola branca pelo ar, com as mãos, e riam, e empurravam-se, e riam mais, de vez em quando um ou outro ia ao mar dar um mergulho, e os arrepios que esta visão me fazia, não só por causa da fúria das ondas, mas pelo frio e pelo gelo, fios esverdeados de algas aventuravam-se na crista da espuma, como as velhas aventuram os olhos assustados nas janelas das aldeias remotas.

Também havia raparigas, reconheci-as passado pouco tempo, morenas e saudáveis, parecia-me, sentada no paredão, chicoteada pelo vento, tão pálida e tão só, tão frágil e tão só, por momentos baixei os olhos para fitar a areia que se agitava lá em baixo, junto à base reclinada do paredão, a areia que se endemoninhava como uma catarata de terra fina, baixei os olhos e quando os baixei chegaram as lágrimas, vá-se lá saber porquê, talvez do assobio do vento que me irritava as pálpebras, talvez, só que não eram só as lágrimas, um ódio inexplicável aos meus pais, à minha casa grande que me sufocava, às minhas bonecas espanholas, a tudo o que tinha, porque tê-lo significava não ter irmãos, nem atirar uma bola branca pelo ar, nem ter coragem de entrar pelo mar dentro, num arranque definitivo e imparável.

Baixei os olhos e quando os baixei percebi, pelo rumor de vozes que se aproximava distorcido pelo sussurro do vento, que o tal jogo da bola pelo ar tinha acabado, baixei os olhos e quando os ergui reparei que caminhavam na minha direcção, ou foi o que pensei automaticamente, que parvoíce, vinham mas é na direcção das escadas de pedra em que não tinha reparado, à minha esquerda, alegres, esfuziantes, de uma forma excessiva que a um tempo me excitava e irritava, porquê tantos risos, tanta paródia, ocorreu-me que talvez já me tivessem visto, já que eu era a única pessoa sentada no paredão por dentro daquele anoitecer ventoso, mas talvez só naquele momento começassem a reparar em mim, na minha atitude de intrusa, pensei horrorizada que talvez se rissem de mim, da cor descolorida da minha pele, dos meus olhos escondidos, meu deus, será que me viam os olhos assustados através do escudo inútil dos óculos, seria, só sei que me ocorreu de repente que talvez fosse a primeira vez que alguém se sentava no paredão num fim de tarde como aquele, no qual mãos invisíveis levantavam turbulências de areia por dentro do riso escarninho da brisa, a sério, ansiava por um buraco no chão para me escapulir, antes isso que senti-los aproximarem-se, à minha esquerda, subirem os degraus dois a dois, e depois mais risos, mais gritos, um intenso cheiro a mar, a areia molhada, a Apúlia, viria a identificá-lo anos depois. E foi quando ergui os olhos que vi os primeiros a chegaram ao sopé da escada de pedra, pude finalmente começar a contá-los, com a mesma ansiedade com que se contam, pelos intervalos das ameias, os inimigos armados que se agrupam no cimo demasiado próximo da encosta, um, dois, três vinham à frente, todos rapazes, mas havia mais, não muito distanciados, sete oito nove, a timidez emprestou-me um olhar frio e distante, de quem nem sequer se apercebeu da sua presença, treze catorze, estes dois vinham mais atrás, uma rapariga abraçada a um rapaz loiro, também pertencem com certeza ao grupo, topa-se ao longe, adivinha-se, um quarto de hora ali sentada bastou para saber identificar, por anos que me atrevesse a viver, quem era e quem não era daquela seita alegre, daquele grupelho que decidi desprezar em jeito fechado de defesa, por fim estavam todos cá em cima, alguns passaram directo, outros não, de costas voltadas imaginava que se interrogavam, deixei de ouvir os risos exagerados de há pouco, não me gozavam, portanto, ou se o faziam ao menos eram discretos, mas sinceramente não me senti de facto gozada, antes interrogada em silêncio, quem és tu que nunca te vimos por aqui, notava-se que se conheciam todos há largos anos, e talvez só dali, da cumplicidade desses agostos de vento, por onde andariam no resto do ano, em que sítios tão longe uns dos outros que os obrigavam a rir daquela maneira quando de novo se reencontravam, havia silêncio atrás de mim e ao mesmo tempo vozes, digo que havia silêncio em comparação com as gargalhadas desmedidas de há pouco, digo que havia vozes porque cochichavam, passado um bocado uma rapariga loira sentou-se devagar uns metros à minha direita (Lembras-te, Eduarda?), senti-a mas não a olhei porque fitava com ar displicente o horizonte lá ao fundo, pejado de gaivotas que perfuravam com dificuldade a muralha teimosa das nuvens em direcção à água espelhada, vi-a a meu lado e suspirei na direcção do infinito como se estivesse sozinha, como se não tivesse dado por ela, apercebia-me do seu embaraço, a olhar-me de vez em quando de esguelha, talvez à procura da atitude certa, das correctas palavras, eu olhava em frente apavorada só de pensar em olhar para o lado, vá fala comigo, pergunta o que tens a perguntar, como me chamo?, sinto a interrogação presa na tua garganta, Eduarda minha força, ainda hoje nos rimos se relembramos esse cair da noite, meu deus e se ela me fala, se me pergunta, se se dirige para aqui, vá, vem ter comigo, toca-me no braço para te dar atenção, para me fazeres ver que queres comunicar, minha nossa senhora, e se ela me toca, se me obriga com esse gesto que receio e desejo a olhá-la nos olhos, a falar, encostada à parede inamovível do meu medo, vi, arrepiada, que se pusera de pé em cima do parapeito largo do paredão e que se decidira a enfrentar-me, deu dois três passos, olhei-a de lado, encurralada por um pânico sem nome, quando de súbito, como num susto, sobre o meu ombro, a voz pausada do meu pai perguntou Então, é bonito ou não é?, e eu respondi com as palavras a tremerem de frio (raiva? desilusão? frio mesmo?) Muito vento, e ele não disse mais nada porque pensou com certeza que me estava a queixar.

No dia seguinte, Eduarda apanhou-me logo que cheguei à praia, que diferença em relação ao dia anterior, o sol a abrasar, o vento uma carícia leve nas costas e nas pernas, esperou que eu fosse tomar banho, mas o primeiro contacto salgado solidificou-me o sangue nas veias, esperou que eu me dirigisse à fímbria hoje tímida das águas e acercou-se, hoje sem hesitações, hoje sabendo que a linha recta é sempre o caminho mais curto entre dois pontos ou duas pessoas. Acercou-se ou abeirou-se ou simplesmente veio na minha direcção, não sei definir com as palavras certas o que se passou, o que fez ela com tanta determinação, mas a verdade é que eu já pressentia essa atitude, desde o dia anterior que a esperava, talvez não soubesse na altura que há muito a esperava, há muito que sonhava com ela, não poderia era adivinhar que tudo se passaria na praia infinita da Apúlia que me fugia das plantas dos pés e corria, numa planície instável, até onde os olhos desistiam, não tenho a certeza, nunca a poderei ter, de que era com a Eduarda que sonhava e com esta maneira de a encontrar, ao mesmo tempo casual e premeditada, se algo o pode ser, mas tenho hoje a sensação clara e inabalável, daquelas que nada podem desrespeitar, que era aquele o momento escrito, a ocasião escolhida para a minha solidão encontrar os seus olhos límpidos, o seu cabelo de areia, de tal forma que à distância irreversível dos anos me começo a interrogar seriamente sobre a existência de um deus em que nunca acreditei, é que não encontro outra explicação para a sua presença no meu caminho difícil, continuo sem perceber quem se antecipou aos meus pais e me deu, filha do vento norte e duma vontade escondida em mim, a irmã que nunca tive.

Olá, o tempo hoje está muito melhor, não achas, Está, disse eu e fiquei desiludida com o vazio da minha resposta, com a única palavra vaga de que me lembrei, dizer Está é apenas uma maneira de se dizer que se está presente, como quando atendemos o telefone, dizer só Está podia matar toda a conversa à nascença, podia aniquilar todo o interesse, mas a Eduarda pareceu não ligar ou ter-lhe-á parecido normal o tom defensivo da minha resposta, sorriu e continuou, Aquele senhor que ontem te foi buscar é o teu pai, fiquei sem saber se o afirmava se o perguntava à falta de melhor tema de conversa, Foi a minha mãe que me disse quem vocês são, parece que conhece o teu pai lá do Porto, especialmente de Matosinhos, que é onde o teu pai tem a fábrica, não é?, o meu pai é advogado, parece que resolveu uns problemas ao teu, foi assim que se conheceram e ficaram amigos, isto disse-me a minha mãe porque eu não o conheço, nunca o tinha visto e a ti muito menos, queres vir tomar banho?

Fiquei banzada com tanto discurso de uma só vez, de tanto palavreado inútil e inapropriado, não era nada assim que imaginava o nosso encontro quando na noite anterior tinha adormecido a pensar nele, a antevê-lo com pormenores, a construir antecipadamente o teu aproximamento tímido, Eduarda, o meu ar novamente distante, distraído, tu Como é que te chamas?, eu Marta, tu Olá eu sou fulana, ontem vi-te aqui sozinha e pensei em falar contigo, aqui somos todos amigos e gostávamos que fosses também, eu ficaria uns segundos sem dizer nada para depois suspirar Não sei, vim mais para descansar, gosto mais de conversas sérias do que andar para aí aos gritos e aos saltos, forçaria o meu ar fatal, Eduarda, sentir-te-ias envergonhada por me teres dirigido a palavra, provavelmente acabarias por me pedir desculpa. Saiu-me tudo furado.

Mas o mais interessante era que o facto de as coisas não terem corrido como eu esperava não me abalou por aí além, talvez porque tenha descoberto o primeiro filão de mistério que procurava, o primeiro sinal de desconhecido que não controlava, daí o meu fascínio, por que serão as pessoas assim, desprezam o que conhecem bem de mais ainda que isso lhes seja imprescindível, renegam tudo quando uma lufada nova, quando um desafio inesperado se vem subitamente interpor, subitamente modificar-nos o caminho que já julgávamos delineado, se para melhor ou pior é coisa que só o tempo se encarrega de mostrar, se para melhor ainda bem, se para pior nunca nos acontece uma recordação verdadeiramente amarga, nunca nos acontece um arrependimento legítimo por transgredir a fronteira, se não fossem esses momentos de risco, às tantas ai de nós.

Soube-me bem a expectativa frustrada em relação ao encontro com a Eduarda, ainda não sabia então o seu nome, só quando respondi, ainda mal refeita da surpresa, É, é meu pai, e tu como é que te chamas, foi então que o soube, Eduarda, ainda hoje guardo na boca, como um rebuçado, o teu nome sussurrado como da primeira vez. E tu disseste Vens ao banho ou não, Não sei, deve estar um gelo, Não está nada, só custa ao princípio, é espantoso como as pequenas e insignificantes frases, sem qualquer sedução escondida, convencem muitas vezes as pessoas. A verdade é que fui mesmo ao mar, arrepiada a princípio, as mãos a aconchegarem os ombros num abraço íntimo e friorento, os pés tocando à vez a água que me chegava aos tornozelos, como se caminhasse em cima de cimento a arder, que estranho, como o quente e o muito frio se tocam afinal, podia retirar-se daqui uma lição para a vida, como o fogo e o gelo nos obrigam aos mesmos gestos, aos mesmos cuidados, ao mesmo bailado tosco de garça em pântano, nunca queremos uma coisa mas também receamos o seu oposto, isto não o ia a pensar na altura, penso-o agora, talvez nasça aí a razão de nunca andarmos satisfeitos, ora queremos ora já não queremos, a não ser assim às tantas que chatice a vida.

Na altura eu não ia submersa nestes pensamentos, para submersos bastavam-me os joelhos, os maxilares quase quase a estalar um contra o outro, até que de repente um assomo de coragem, a Eduarda já mergulhara e nadava, via-a ao longe, a cabeça um ponto perdido, os braços à vez nas ondas, num movimento de moinho, fechei os olhos com força, apertei o nariz com força, deixei-me cair com força e senti, com força, um redemoinho gelado a invadir-me a geografia frágil do corpo, quando regressei à superfície a Eduarda nadava na minha direcção, parou para me gritar Está boa, não está, gritei-lhe também, Óptima, não que mentisse por na realidade ter achado a água fria, mas porque me agradara o castigo a que submetera o meu corpo e em consequência, até porque é lá que habito, a mim.

Já sabia que acabávamos por vir aqui, a este sítio esconso que me esqueço sempre de evitar e que me impinges, numa persistência de vendedor de enciclopédias. Olhou as outras mesas e pensou, Não percebo por que gostas de vir aqui quando estás de bem comigo, quererás com certeza dar de comer ao pequeno bichinho burguês que habita, numa teimosia de criança, no mais fundo e longe de mim, aquele bichinho de que me esqueço ou faço por esquecer e que tu, claro, topas à distância. Habituaste-te tão depressa a pensar que me conheces, a dizer que não tenho segredos, que sou límpido e claro como cristal, que dou comigo a pesar se isso será bom ou mau, dou comigo a angustiar-me quando me elogias ou deprecias, num caso ou noutro porque o farás, dou comigo, caramba, a fazer complicadas ginásticas faciais ao espelho para tentar ver por onde me apanhas, de que forma me descobres, onde em mim o despir, a quebra da máscara, onde, em que sítio dentro ou fora de mim, eu mesmo, eu próprio, ou o eu que julgas e dizes conhecer, onde em mim ou em que frases fora de mim me revelo, como um mau mentiroso, dono de um débil álibi para a tua perspicácia de Sherlock.

A mulher mastigava devagar entre os brincos demasiado grandes, exageradamente dourados, mexia compassadamente a boca cuidadosamente fechada, sem o tropeção habitual de um ou outro ruído de saliva aspirada, a mulher comia e olhava em redor e ele pensou que afinal ainda não tinham falado sobre nada importante, e ele percebeu que afinal não tinha também muita vontade de o fazer, de discutir fosse o que fosse, de ouvir coisa alguma, uma vez mais apenas um desejo sereno de assistir sem o compromisso de participar, sem a inevitável dor de fazer parte, estar ou ser.

– Estás muito calado.

Estava a rezar tanto para que os minutos se prolongassem, preguiçosos, por dentro deste silêncio que preservávamos no meio do burburinho geral, como um bem precioso, como um segredo íntimo, juro-te que por momentos julguei atingir uma parcela desconhecida de felicidade, ou pelo menos um estado límpido sem merdas, sem porras, pensei por instantes, por minutos, estar bem, estar realmente bem num tempo e num espaço desconhecidos, pensei, juro-te, que te amava, mas vejo que amava em ti aquilo que desesperadamente quero amar em todas as pessoas, o serem bonitas quando as quero ao pé de mim, mas que de resto não me chateiem.

– Não me apetece estar a falar aqui. Está muito barulho.

– Então não percebo por que viemos jantar fora. Para estarmos calados?

E por que não?, há algo em mim que está farto de ruído, algo em mim que rejeita outro algo que igualmente não sei o que seja, o criado debruçou-se de repente à sua frente, disse Sopa?, a mulher disse Para mim, e ele ficou a ver, de olhar ausente, o fumo a escapar-se da malga inoxidável, o criado afastou-se com ar empertigado, na mesa ao lado uma baleia aloirada de ruidosos salamaleques nos braços, de ostensivos cordões de ouro ao pescoço, devorava a carcaça de um caranguejo numa avidez porcina, chupava-lhe as patas, depois afastava-as da boca para ver o que se poderia ainda comer, ainda ir buscar, voltava à carga e a boca parecia multiplicar-se-lhe de dentes, de língua, de espumosa aflita baba, em frente a ela o marido, ou o que julgou ser o marido pela mesma atitude descontraída de javali, palitava a grelha irregular dos marfins, num desembaraço de dentista de broca em punho, enquanto coçava as virilhas num irreprimível assomo de primata, a mulher mantinha-se alheada destes apontamentos zoológicos, mantinha-se desligada, mexendo na colher, de tais momices, e ele pensou Tão distante que ficas afinal tão próxima, tal como eu, por isso frequentamos os mesmos sítios que estes gajos, por alguma coisa acabamos por vir a estes requintados estábulos, a estas bem alcatifadas pocilgas, a única razão possível, aceitável, viável, é sermos realmente iguais a eles, não o notarmos será porventura o mais perigoso, disso não nos apercebermos será talvez o mais triste, a prova irrefutável de que em nós já nada realmente resiste, ou em mim já nada realmente resiste, vendo bem que sei eu de ti, de que forma te conheço para afirmar com a força barata das eloquências fáceis que se passa contigo o mesmo que se passa, merda, irremediavelmente comigo.

– Estavas com tanta pressa de falar comigo, de pôr os pontos nos iis, afinal o que é que se passa?

Nunca tinha reparado que os teus olhos eram assim pequeninos, assim inexpressivos, talvez por isso nunca tenha sentido que me amasses, talvez fosse estupidez minha tentar fazer-te amar-me com o pouco que tenho para oferecer, para dar, para revelar.

– Só queria que não ficasses chateada comigo por causa daquilo hoje de manhã. Ando nervoso.

– E eu que aguente as tuas más disposições! Mas tu julgas que eu não tenho mais nada para fazer?

Quem me dera que tivesses, que pelo menos possuísses a coragem que me falta para te abandonar, os tomates que não possuo para fugir de vez, quem me dera delegar em ti toda a responsabilidade pelos actos que não faço porque não consigo, porque não quero, porque um nó qualquer me reprime, me aperta a garganta de mil e uma hesitações.

– Desculpa, às vezes também tens os teus dias maus.

– Só que quase sempre com razão, infelizmente.

Por que não te mando eu foder, quase sempre com razão, porquê?

– O melhor é fazermos por esquecer. Queres mais vinho?

Bebe, esse é o meu sangue, derramado já não sei por quem, o restaurante ia enchendo à laia de um estádio com a hora do jogo a aproximar-se, grupos de adolescentes encostavam-se indolentemente ao balcão, pediam jarros de sangria, abanavam os cabelos, pediam finos, canecas, abanavam os cabelos (se lhes faz impressão nos olhos, por que não os cortam?), ouviu distintamente uma rapariga, a quem tentava, num esforço de prestidigitador, adivinhar a idade, pedir uma cerveja para acompanhar os morangos com chantilly, pareceu-lhe ser das poucas coisas que lhe faltava ver na vida, que lhe faltava ver na sua cidade, de repente qualquer coisa, uma qualquer impressão esquisita queimou-lhe as entranhas, feriu-lhe com força o estômago, julgou ver a filha no meio da profusão de longas cabeleiras, na confusão de camisolas, verdes, laranja e rosa, esticou o pescoço, arregalou os olhos, não indignado, não preocupado, mas ansioso, como uma criança que procura o pai entre as pessoas que assistem à sua aula de ginástica, aflito, o coração a bater demasiado depressa, julgou ver a filha mas não, nem sequer sabia dizer se seria parecida com ela (como serás agora, quem farás lembrar?), não sabia explicar essa esperança logo abortada.

– O que foi, Pedro?

Não sabia explicar o porquê da confusão, sentiu-se triste ao constatar que não era a filha, sentiu-se aliviado porque não saberia o que lhe dizer, como se lhe dirigir, voltou-se de novo para o prato onde as batatas fritas arrefecidas se amontoavam, onde o bife enregelava, pensou, constrangido, que se fosse a filha o mais provável seria ter fugido, teria desviado os olhos, teria corado, falaria alto com a mulher para disfarçar ou, pelo contrário, ficaria em silêncio, limitando-se a sentir o enorme crescimento de um cogumelo de ternura, numa reconfortante primavera interior.

Minha filha, emocionou-se enquanto a mulher o fitava sem compreender, minha filha que não vejo mas existe, em que lugares agora fora do meu alcance, agora fora do alcance da mãe, minha filha que conheço tão mal, que não conheço de todo, produto e refúgio do meu medo, do meu amor pelo ventre que a albergou, inchado, enquanto eu queimava as pestanas noites a fio estudando aquilo que hoje duvido ser a minha verdadeira vocação (até isso me legaste, pai, a tua profissão), minha filha cuja cor de olhos me escapa agora que tento lembrá-la, minha filha que abandonei, como um lobo ferido, aos perigos e desvarios da selva da minha desistência.

– E se fôssemos embora daqui?

Deu um nó tosco nas mangas da camisola, por baixo do queixo, como a uma enorme gravata de lã, levantou-se, esperou que a mulher se levantasse, aguardou que ela o precedesse até à porta envidraçada, um bafo quente levantava-se, quase sólido, dos quadrados de pedra do passeio, do asfalto da rua, uma luminosidade demasiado real, demasiado crua, banhava sem piedade as casas, as árvores, os rostos, sentiu este luar exagerado como um holofote de polícia apontado na sua direcção, prolongando a sua figura numa sombra culpada. Dirigiu-se lentamente ao carro para seguir (sabia-o) para um qualquer pub monótono de música e fumo, seguir-se-ia (adivinhava-o) um odor demasiado juvenil no qual teria dificuldade em encaixar, dali a nada o apartamento dela onde a amiga deve fumar placidamente, encostada às almofadas que se amontoam, como um vestígio de batalha, no chão mal encerado, a amiga deve afagar distraidamente, num vagar por trás do qual se esconde por vezes o verdadeiro desprezo, a cabeleira suja de um estudante de Belas-Artes que vai dizendo mal de tudo na tentativa de retirar daí, desse lugar onde pensa não existir, o génio que não possui.

– Combinei com uns gajos meus amigos ir beber um copo à Ribeira. Se quiseres vir, vens. Se não quiseres vir, não venhas. Prefiro ir sozinha a aturar-te a noite toda de trombas.

Ouviu e continuou a olhar em frente, sem um esgar de indignação ou recusa, apenas uns olhos parados, mudos e impessoais como faróis, olhos que descerravam os últimos vestígios de nevoeiro, apenas uns olhos, apenas um homem, só, apenas um homem só, encostou à direita, esperou que a mulher saísse, despeitada e furiosa. Deixava-a numa praça de táxis.

Se me perguntarem a cor de Novembro, eu digo que é castanho. Chegámos à quinta numa manhã de frio e nevoeiro, eu, a minha mãe e a minha tia Laura, as três soterradas em abafos de lã, as três a tirar as malas do carro numa pressa gelada, as três a chamar o caseiro, as três a tiritar e a entrar finalmente em casa, depois de percorrermos com pernas trémulas a humidade lacrimejada da relva e das folhas caídas, fechámos a porta e retirámos numa precaução desconfiada os gorros, as luvas e os cachecóis. Depois tentei mexer-me o menos possível, enquanto as duas começavam a dar ordens, Ó senhor Manuel traga lenha, Ó dona Gabriela ponha um caldinho ao lume, nem o filho do caseiro escapava, O que é que andas para aqui a fazer, rapaz, vai dar uma mãozinha ao teu pai. Sentei-me no cadeirão de couro que albergava por vezes o cansaço do meu pai, Quando voltas a sentar-te aqui?, na altura não acreditava que ele partira, não podia conceber que tivesse abandonado as coisas que aprendi a ler-lhe as mais sagradas, as mais indispensáveis, coisas, factos, gestos, rituais que ainda hoje não compreendo com a sua ausência, perguntei-lhe em silêncio quando regressaria à cadeira onde me sentava numa tentativa frágil de o ressuscitar. Não lhe perguntei por que partira, já o tinha feito uma vez, acho que chega, quando não há resposta a uma pergunta só o tempo, e às vezes nem ele, se encarrega de nos responder, de maneira que já esquecera o que me respondera nessa manhã, ou nessa tarde, estranho, até a hora certa apaguei, uma só verdade, um só facto irreversível, a sua partida, a sua despedida prematura e eterna.

A minha mãe entrou na sala, Estás bem?, Tens dores?, mas isto dito sem nenhum afecto, sem nenhuma preocupação verdadeira, isto dito num tom quase distraído, de uma maneira fugaz e algo irritada, Não, disse eu, e tentei esconder a cabeça de tartaruga na carapaça do cobertor que me tinham entretanto trazido, para me aquecer enquanto não se acendia a lareira. Lá fora principiava preguiçosamente a chover, as árvores abanavam mansamente, via-as bem dali, da toca de bicho onde me refugiara com a minha filha por companhia interior, a chuva caía numa cortina teimosa, fazia frio, como sempre nessa altura, as árvores e as pedras e a relva e as folhas e o vento caminhavam na minha direcção desde o fim da mata, desde o horizonte violeta do fundo da mata, do fim que aos meus olhos era permitido, porque sei que o bosque não acabava ali, sei e sabia que se estendia para trás por declives e encostas cheias de musgo e elevações, folhas, palmitos e amoras, eu sabia que havia mais mundo do que o que me deixavam ver, mas sabia também que o meu mundo se completava dentro do que via, será esta a velha história dos corações que não sentem porque os olhos não vêem, se sim, se isto é verdade, porquê a cabeça enevoada pela figura do meu pai, por que me doía cá dentro se tentava a custo recordar a sua voz, a sua figura de costas quando lia na cadeira onde me sento, a sua maneira pausada de contar histórias e de vestir cada paragem, cada gesto, cada olhar, com o perfume inebriante da curiosidade, do suspense, essa forma de imprimir na voz o timbre sonolento da ternura, da verdadeira, daquela que se põe na boca e no sangue dos nossos personagens para calar assim a nossa boca, para estancar assim o nosso sangue, porquê tantos olhos dentro de mim que desconhecem a verdade inabalável dos provérbios, que não fazem caso da demolidora força empírica dos ditos populares, eu olhava lá para fora e sofria, fechava os olhos para ouvir a chuva nos vidros sujos e sofria, e convencia-me de que chovia dentro de mim também, sofria e sofrer fazia-me quase bem, estava mesmo quase a dormir, o lume crepitava, ouvia de vez em quando uns pequenos estalos de brasa, a sala enorme ia-se enchendo do lento, sensual álcool do calor, estava mesmo mesmo a adormecer quando a tia Laura me perguntou, acocorou-se junto às minhas pernas retraídas pelo frio e perguntou, Marta, tens dores?, a sonolência deixou-me ainda construir um sorriso não muito largo, Não, estou bem, disse com voz empastelada, a tia Laura ergueu-se devagar, passou-me a palma suave da mão pela testa, pelas faces, por cima do cobertor, pousou a outra mão na montanha de carne onde se escondia ainda a minha filha, levantou-me um pouco o cabelo para me segredar, Se não te sentires bem avisa, eu e a tua mãe vamos ficar aqui a tricotar, não saímos daqui, beijou-me a orelha e senti um arrepio bom, uma fina serpente meiga percorreu-me a espinha, a sala, o sofá, o fogo e a tia Laura começaram lentamente a esfumar-se, começaram a adquirir a pouco e pouco a espessura volátil e escorregadia de que imagino serem feitos os anjos, a cabeça pesava-me cada vez mais, acabei por adormecer, soube-o depois, lembro-o hoje. A minha filha dormia também. Ainda.

E foi então que. Meu Deus, era outra vez criança. A princípio não consegui perceber onde estava, admirei-me do vestido de folhos que trazia, não me lembrava nada dele, a verdade é que não me lembrava de quase nada, desta fragrância à solta no ar, onde estou, tardou a perceber, não que não reconhecesse as coisas, os sítios, os cheiros, a cor esquisita do céu, mas tardava a encaixá-los dentro de mim, dentro do que em mim reaprendia os sinais, os móveis, os espelhos, o verde-escuro dos caixilhos das portas e das janelas, em mim algo teimava no abandono das ressurreições, uma parte de mim que já não acredita, o que terá acontecido para este cepticismo, por que factos ou acontecimentos ou visões terei passado para me recusar agora a ver, a sentir, agora a reaprender, uma parte de mim é novamente criança e avança num corredor comprido, uma porta à esquerda, uma porta à direita, sempre os caixilhos verde-escuros, quando em mim penetraram?, vejo-os agora e sempre, se desço as pálpebras, imediatamente o escuro e o nada se enverdecem, se as subo ainda e sempre eles permanecem, como naquele momento, no corredor que não sei onde irá dar, onde estou?, ali ao fundo nascem umas escadas, que haverá lá em baixo, debruço-me, espreito, um corrimão que se precipita em espiral, vejo que há alguém que sobe, pela roupa é uma criada (Reconheço-a?), e a criança que espreita no cimo das escadas, reconhece-a?, uma criada, velha, que não parece muito espantada por me ver, Marta, venha, o pequeno-almoço está pronto, conhece-me portanto, o eu que está no cimo das escadas talvez a conheça também, eu não, daqui, da distância que não consigo ultrapassar, evito que ela me pegue ao colo, desato a correr, saltando os degraus, mas não, não fujo, vejo-me bem daqui, vejo que rio, a criada ficou para trás, prostrada no cimo das escadas, ainda mal refeita da minha finta, as pessoas velhas são assim, imagino, têm dificuldade em recuperar, seja do que for, seja de um desgosto ou de um trambolhão, sofrem muito, imagino, as crescentes negativas do corpo, a cabeça a ordenar à perna Mexe-te! e a perna nada, quietinha no seu lugar, inchada de veias e anos, também deve acontecer com os braços e com tudo o resto, tento imaginar e não consigo, o que sentirá um homem quando sente pela primeira vez que o pénis não vai crescer, os homens a beijarem sofregamente os mamilos desistidos das mulheres e a mirarem, de esguelha, o próprio ventre à espera de verem surgir o mastro triunfal do seu orgulho, da sua juventude, da sua simples condição de homens atraiçoada, imagino-os a rilharem os dentes, a magoarem o seio da mulher, de mão encrespada à procura do milagre, mas nada, imagino que se devem voltar para o seu lado da cama com a tristeza imensa de habitarem um corpo que não merecem.

Desci as escadas e a criança a que regressara ria, via-a bem, ria enquanto se precipitava, a criada velha ficara pregada ao chão, pregada aos degraus, vítima inocente da minha fúria infantil, à medida que descia a escada parecia crescer, parecia alongar-se, os degraus multiplicavam-se, de repente, e sem saber muito bem como, estava na sala, na sala grande, reconhecia sem dificuldade as janelas rasgadas, os poucos quadros nas paredes, as cadeiras, os sofás, a salamandra, reconhecia o pomar que se espalmava, como um quadro mais, contra a resistência envidraçada da janela. Parei, bem a meio da sala que esticava e diminuía num cadenciado movimento de pulmão, como num sonho, só mais tarde soube que o era, só mais tarde soube que o habitava, confundido com a realidade que julgava verdadeira, só mais tarde soube tanta coisa. A meio da sala erguia-se, densa, uma espiral de fumo, um qualquer rodopio de vapor de que não sabia a origem ou razão, e por trás dessa espiral, ou no meio dessa espiral, ou através desse vapor, começou a tomar forma o rosto grave do meu pai, mais novo do que eu o conhecera, assim julguei pela expressão virgem do olhar, pelo tom inequívoco do sorriso, comecei a correr para ele, mas como me tinha acontecido há pouco com as escadas também a sala parecia correr para me ultrapassar, ou então fugir e levar com ela a miragem esfarrapada do meu pai, a sala corria, alargava-se, inchava, os móveis, os tapetes, a lareira, tudo dentro de um súbito balão que crescia, para logo de seguida diminuir e tentar travar-me o passo, tentar esborrachar-me entre duas paredes, entre quatro paredes, mas não, nada, não acontecia nada, apenas um silencioso bater de coração com tecto e janelas por aurículos e ventrículos. O meu pai permanecia sentado no seu cadeirão que deslizava e se afastava, num tropel gasoso, por dentro do que me pareceu ser um túnel de árvores, uma abóbada de copas fechadas, o meu pai sorriu, a meio da sua marcha de nuvem levantou os olhos do jornal e sorriu, e foi então que vi um cão a aproximar-se dele enquanto ele sorria, então gritei, ou a criança que sentiu o cão gritou, qual das duas o tivesse feito nada se ouviu, o meu pai sorria uma doçura que lhe desconhecia, uma paz, gritei e nada se ouviu, chorava pela minha voz, tentava arrancá-la num esforço de vómito mas em vão, nada de nada, o cão chegou junto dele e só então reparei que levava uma criança na boca, uma criança entre as mandíbulas, segura pelos rins, pendurada num esgar de carne crua, tentei correr, não sei se para salvar o meu pai ou a criança, tentei movimentar-me com toda a força de músculos e tendões que me era possível, mas nada, tal como a voz também as pernas se recusavam a avançar, a esboçar a mínima vontade, e assistia, de boca aberta em suspenso, a um animal que já não sabia dizer ser um cão ou um lobo que avançava na direcção de um pai que sorria, que descruzava as pernas num gesto lento e pausado como as cobras, que retirava os óculos e os pousava a seu lado na cadeira, que pousava os cotovelos sobre os joelhos e abria mansamente os braços, como que à espera do cão, ou do lobo, como se há muito previsse a sua chegada.

– Pai.

Consegui chamar não sei como, Pai, mas ele sem me ouvir, o cão pousava a criança no seu colo que se abria como um berço ou um caixão, o colo que se oferecia, as mãos abertas protegendo o cadáver, a cabeça ligeiramente de lado, como um cristo em agonia, levantou a cara na minha direcção, o lobo pousou a cabeça grande na sua mão, a cabeça da criança sobrava para o lado das suas pernas, o pescoço horrivelmente distendido que terminava numa face ensanguentada e o meu pai chorava, agarrou docilmente um braço da criança, perto do pulso, foi puxando devagar e o braço desprendia-se, como uma espada que abandona o coração que perfurou, e à medida que o meu pai puxava o braço o cão ia devorando os dedos pequeninos, um som mastigado de ossos que quebravam, o meu pai olhava o lobo e sorria, fazia-lhe festas na cabeça bestial e sorria, e sorrindo olhou para mim e chorava.

Então acordei. A princípio não sabia onde estava, procurava de olhos doridos a figura sentada do meu pai, acordei de repente, num estertor, inclinei-me para a frente, agarrei com força a barriga, gritei, devo ter gritado, porque a minha mãe e a tia Laura se precipitaram na minha direcção, ainda distingui um novelo de lã a cair, desamparado, no chão de madeira, distingui a caverna da lareira onde se levantavam labaredas, a televisão ligada, Bic, Bic, Bic, Bic laranja para escrita fina, a tia Laura segurou-me a cabeça, Que foi Marta, são as dores? não sabia responder, não sabia se eram as dores, sabia apenas que eram dores, agudas, insuportáveis, arrancaram-me a ferros do meu sono profundo, Bic cristal para escrita normal, anoitecera, ainda consegui sabê-lo, anoitecera, a chuva investia agora com força contra as vidraças, lá fora os frutos deviam tremer nos ramos frágeis, as folhas amarelas desistiam e abandonavam as árvores, Duas escritas à vossa escolha Bic Bic Bic, e uma sensação horrível de vómito, uma azia indescritível, queria-me mexer e os membros não obedeciam, os olhos injectados, sentia-os, a minha mãe aflita, pequenos guinchos a ecoarem na sala e num lugar em mim onde a sala já não existia. Ó dona Gabriela, chegue aqui depressa, traga toalhas, traga água, mexa-se, a mulher do caseiro a irromper pela porta que dava para a cozinha, Está na hora, minha senhora? Está na hora?, limpando as mãos aflitas a um avental sujo de açúcar e marmelo, a tia Laura tirou-me a camisola, desapertou-me a camisa, voltou-se para a minha mãe, Chama o senhor Manuel, é preciso deitá-la no sofá grande, aflita também, os dedos tremiam de encontro à pele arrepiada do meu peito, a minha mãe encostada à porta da cozinha, torcendo as mãos, chamando Senhor Manuel! Senhor Manuel! Ó senhor Manuel!!, incapaz de abrir uma janela e gritar o nome do caseiro que devia cortar lenha junto aos galinheiros (aposto que as galinhas o olhavam espantadas, sentadas em cima dos ovos), incapaz de fazer fosse o que fosse que não fosse olhar-me mais curiosa do que aflita, torcer as mãos mais impaciente do que preocupada, incapaz de sentir alegria por ter chegado a hora, Parece que sim, Gabriela, parece que está mesmo na hora, disse a tia Laura à caseira enquanto me descalçava os sapatos numa pressa cuidadosa, a televisão continuava ligada mas ninguém a via, Após o Telejornal teremos um programa de variedades com os mais populares nomes da música portuguesa, um homem parecido com ninguém, reduzido a uma cara inexpressiva, com a gravata a brotar-lhe do pescoço como uma língua azeda, ninguém olhava para a televisão, só eu, deitada já no sofá, a arfar, com todos e nenhuns pensamentos a percorrerem céleres o vazio da cabeça, só eu ouvia a voz demasiado higiénica do locutor, por cima do ombro e da cabeça da tia Laura, e agora da caseira também, as duas atarefadas a despirem-me, as duas falando sem cessar, quem dera lembrar uma só palavra, só lembro a minha mãe no fundo da sala, encostada ao canto num castigo de orelhas de burro, as mãos juntas perto da boca naquilo que hoje entendo ser o abraço último do desespero e do pavor

– Pedro

disse eu sem ninguém me ouvir, na casa abalroada pelo apelo de planta do meu ventre

– Pedro

queria tanto que estivesses aqui, ao meu lado, que é tanto o teu sítio de estar se te quero meu, tanto o sítio onde deverias estar, nunca devia ter vindo para a quinta, ou então deverias ter vindo comigo, onde estás, que estarás a fazer neste momento na cidade, imaginarás, enquanto limpas a boca com o guardanapo de papel do snack onde jantas, que a tua filha pretende começar a viver, pretende finalmente rasgar pelo mundo dentro, começando por me rasgar a vagina e depois, a pouco e pouco, rasgar a própria boca para gritar, os próprios olhos para ver, os próprios dentes para nos comer melhor, imaginarás

– Pedro

que me doem as costas, farás uma pequena ideia do tempo que a minha mãe permanecerá encostada ao vértice da sala e do seu medo, como uma criança que se recusa a acreditar, calcularás o quanto me custa estar aqui, debaixo do frio e da escuridão, debaixo do orvalho e do odor duro dos pinheiros, quando queria que tudo se passasse como imaginei que se passaria, eu a chegar à clínica, sorrindo o que as primeiras dores me deixassem, um braço em arco amparado ao teu ombro, o outro a proteger a textura frágil da barriga, e depois um não acabar de enfermeiras a virem ao meu encontro, a sorrirem-me, a dizerem-me que não haveria qualquer problema, enquanto as ouvia olharia para ti e tu sorrir-me-ias também, paciente, carinhoso, reconfortador, entretanto o quarto seria limpíssimo, asseadíssimo, esterilizadíssimo, um médico bem-parecido arregalava na minha direcção as teclas de piano dos dentes, teria uma cabeleira farta e grisalha, cuidadosamente penteada para trás, o branco da bata faria inveja ao mais puro linho

– Pedro

mas em vez a lareira quase quase a apagar, a extinguir-se devagarinho como os vilões no fim dos filmes, mas em vez o frio a começar a entrar, de mansinho, na imensidão da sala que vibrava com os meus gritos, com os meus urros, em vez um frio e uma sala que assistiam silenciosos às minhas mãos crispadas no cobertor, aos meus olhos que fitavam o cinzento aquoso da televisão numa persistência de moribundo, aos meus ouvidos que ouviam Enorme tragédia ensombrou hoje os Estados Unidos da América, o presidente John Fitzgerald Kennedy foi assassinado em Dallas com três tiros de espingarda, desconhece-se até ao momento a identidade do autor ou autores dos disparos, a minha respiração tornou-se ofegante, desesperada, como se fizesse amor muito depressa, a barriga inchava e diminuía a um ritmo alucinante, a tia Laura apertava-me a mão e eu pensava Não foi nada disto que imaginei, não era nada disto que queria.

– Marta, agora vais ter que puxar.

O vento arranhava as janelas como se estivesse furioso, como se quisesse entrar, São já imagens do brutal atentado que enluta não só uma nação mas certamente o mundo inteiro, aqui temos o início do desfile, o presidente saúda as pessoas que encheram as ruas para o ver passar, a caseira dirigiu-se à cozinha, enxotou o marido que olhava, perplexo, a cena demasiado confusa para os seus hábitos de agricultor (Chô, chô, que agora não és preciso para nada), espreitando pela porta entreaberta como se vigiasse um inimigo, a caseira voltou com mais toalhas, entregou algumas à tia Laura e agarrou-me a mãos ambas o rosto congestionado.

– Ó menina, puxe! Faça força, pelo amor de Deus!

E é neste preciso momento, vê-se o presidente a vacilar, a princípio ninguém se apercebe, Queria tanto ver-te aqui, pai, neste lugar que é teu e que está prestes a tornar-se meu, através desta adopção de vísceras, deste meu ganido de loba ferida, a tornar-se meu, pai, como nunca nada o foi, a tornar-se, percebes Pedro, uma outra filha dentro da filha que se mexe e revolve dentro das minhas tripas, aqui vemos o presidente a tombar, a sua esposa Jacqueline certamente que se apercebeu porque o envolveu de imediato com os braços e quase se pode afirmar com toda a certeza que chora, pelo menos esbraceja, grita ordens ou impropérios ao motorista e aos guarda-costas, aos seguranças, ajudem-me, deve estar ela a dizer, daqui não se vê muito bem, como os senhores telespectadores estão com certeza a reparar, as imagens são difusas, tremidas.

– Puxa, Marta! Vá, vá, puxa, faz força!

– Puxe, menina, que já se vê a cabeça, puxe, minha rica filha, está quase!

Puxa, Marta, diria talvez a minha mãe com os seus botões, esmagada contra a parede como se algo a empurrasse (Terás saudades dele? Terás agora saudades dele?), as órbitas desmesuradamente abertas da recusa.

– Força!!

Queria tanto que estivesses aqui, Pedro, acompanhado de um médico que me sorrisse e me tirasse a filha por trás da orelha, como um ilusionista, diante da minha felicidade espantada, um médico quarentão que gracejasse enquanto media e pesava e inspeccionava a minha filha, a nossa filha, Pedro, queria tanto que estivesses aqui para acalmares o meu coração de bicho sobressaltado.

– Vá, vá, já está cá fora!!

Senti de repente a vagina a alargar, Pedro, como nunca pensei que pudesse alargar, a abrir até às minhas últimas fronteiras, o televisor a preto e branco assemelhava-se a um aquário triste e erguia-se por cima do ombro e da cara suada da tia Laura, havia uma mulher que chorava agarrada a um homem com a cabeça em sangue, o carro descapotável abria caminho pelo meio de uma multidão confusa e boquiaberta (O que foi? O que foi?), o que foi, Pedro, que te fez não estar aqui quando mais precisava de ti, quando mais precisava de mim, tenho a impressão que o meu pai está lá fora, debaixo da chuva, com a gola do casaco levantada, falando com o caseiro junto à casa da lenha, devem dizer que está muito mau tempo, como sempre nesta altura, como sempre teimosamente em Novembro, devem dizer que é melhor cobrir a lenha miúda com o oleado grande e roto esquecido há tanto tempo nos fundos da garagem, às tantas falam de mim, pode ser que o meu pai pergunte ao senhor Manuel por mim, se estou a ter muitas dores.

– Só mais um bocadinho, filha, força!

A tia Laura debruçada sobre o ventre que julgo já não existir, suada, despenteada, aflita, feliz, a caseira ao lado, curiosa e comovida, e agora a repetição em câmara lenta, o homem acena à esquerda e à direita, sorri, está em pé, sinto a vagina a estoirar, a rebentar, tudo em mim a dilacerar-se devagar num suplício de tortura, à procura de algo para morder, eu também suada, arrepiada, sentia a barriga a esvaziar-se lentamente, como um balão murcho, o homem inclina-se de repente para a frente, como se tivesse tropeçado, como se fosse vomitar, mas não, era o próprio corpo que o vomitava, soçobra, cambaleia, tenta agarrar-se a algo, a mulher apercebe-se, levanta-se, tenta segurá-lo, tenta ampará-lo, vejo de repente a cabeça dele aproximada, de costas, reduzida a uma teia confusa de cabelos e do que julgo ser sangue, tento erguer um pouco a cabeça, faço um esforço, depressa com isso que me doem as costas, que me dói o pescoço, que me doem (Meu Deus) as pernas, depressa com isso para que a minha mãe possa abandonar o seu canto escuro e me venha perguntar, pressurosa, se estou bem, se preciso de alguma coisa, depressa, a sério, depressa que me dói a alma, o meu pai deve querer saber notícias, lá fora ao frio, abraçando o casaco com os braços fortes, fumando um dos cigarros melosos que pediu ao caseiro, os dois mirando em silêncio, para além da cortina de água que se precipita à sua frente vinda do desajuste das telhas, o pinhal que se encharca, silencioso, como um gigante adormecido, e agora já quase não há dores, apenas uma sensação aquosa de cansaço, de alívio, sinto uma espécie de gelatina escorrer-me por entre as pernas, que pena não estares aqui, Pedro, é rapaz ou rapariga, que pena Pedro, perdermos estes momentos juntos dentro do tanto que nos amamos, a tia Laura ergue a criança pelos pés, há um grande silêncio na sala, em mim, abre-se de súbito um buraco na cabeça do homem, a expressão imobiliza-se-lhe, os olhos continuam abertos, o sorriso é que morre devagar, a tia Laura levanta a mão, baixa-a com força no rabo da criança, outro buraco lavra a cara do homem, agora a meio do nariz, o sangue começa a descer, lentamente, pela escarpa desfeita que se liquefaz, pelo rosto todo, pela boca, pelos dentes, pelo queixo, invade o pescoço, o rabo do feto começa a avermelhar, o silêncio continua, o homem cai para a frente, um outro buraco agora na nuca, a mulher apercebe-se e levanta-se, num gesto que me pareceu demorado, e quando eu ia mesmo conseguir finalmente dizer Está um homem a morrer na televisão, a minha filha começou a berrar.

Há uma canção que diz «quando eu nasci, minha mãe dizia».

Quando eu nasci, a minha mãe não dizia nada. Disseram-me que ficou quieta e calada, eu pendurada pelos pés, presa pela mão forte da tia Laura, chorando para encher os pulmões do primeiro contacto com o ar, e ela, nada. Parece que nem sequer olhou na minha direcção, parece que não se apercebeu ou não se importou com o facto de eu não ter chorado logo, isto contaram-me muitos anos mais tarde, parece que nasci de cara cerrada, os olhos teimosamente fechados, e tal como a minha mãe, nada, nenhum ruído, o mínimo som, uma aparente recusa em existir, a tia Laura ficou mesmo aflita, apesar da sua experiência nestes e noutros casos, então da minha avó nem é bom falar, encostada à parede da sala como se algo a estrangulasse.

Também me contaram que isso foi na noite de 22 de Novembro de mil novecentos e 63, chovia, disseram-me, e ventava também, aqueles ventos gélidos e assobiados do norte, em Nine. Nine é ali para os lados de Braga, mas não é bem lá. Não sei explicar. Passei lá uma vez, antes de o meu pai ir para África, lembro-me que ele parou o carro junto ao portão verde da estrada e ficou em silêncio. E a minha mãe, ao lado dele, ficou também em silêncio. Lembro-me que estava um dia muito bonito, cheio de sol, por cima do muro de granito adivinhavam-se as copas imóveis das árvores, umas pontiagudas, outras parecidas com cogumelos, todas muito verdes. E nos espaços entre elas, o azul claríssimo do céu. Quando eu era pequena tive um urso daquela cor, não sei onde pára agora.

O meu pai virou-se para trás (eu tinha aí uns oito ou nove anos) e disse Estás a ver, Rita, foi aqui que nasceste, e ao dizer-me isto sorriu com aquele sorriso que hoje tanta falta me faz se estou no café com os meus amigos e os ouço vagamente falar de automóveis ou dos problemas gravíssimos que se passam nas faculdades deles. Adiante.

A minha mãe também ouviu o que o meu pai disse, mas não sorriu como ele, deixou-se ficar com uma expressão distante que nunca lhe tinha lido até àquele momento, uma expressão feita de abandono e saudade, dir-se-ia que saudava em silêncio as árvores e o cheiro da terra, parecia ouvir os pássaros e o lento serrar dos grilos, parecia, sei lá, ausente, estranhei o facto porque sabia que ela gostava muito da quinta, o meu pai já mo tinha dito, já me tinha contado da sua tristeza quando tiveram de a vender, teve mesmo que ser, o meu avô partira ninguém sabe para onde, a minha avó tinha ficado em grandes dificuldades financeiras, o dia em que nasci foi dos últimos lá passados. Achei estranho aquele silêncio da minha mãe, aquele seu completo alheamento de uma conversa que lhe dizia mais respeito a ela do que a qualquer outra pessoa naquele carro que torrava debaixo do sol das duas da tarde, de maneira que perguntei, mais para quebrar o silêncio do que por curiosidade, Foi, mãe?, ela pareceu acordar, sorriu devagar como se me fosse adormecer, olhou a expectativa do meu pai, olhou depois os meus olhos escuros, Foi, filha, foi aqui, e eu logo para não a deixar pensar, Tenho sede, e eu logo para não a deixar regressar, Pai, quero beber água, a minha mãe continuava a sorrir (eu admirava tanto aquele sorriso), lembro-me que suspirou e disse, Pedro, vamos beber qualquer coisa a Braga, vamos lanchar.

Enfim, nasci portanto ali. É triste uma pessoa não ter nada a dizer sobre o sítio onde nasceu, é triste não se poder ir a passar com um amigo e dizer, apontando para um hospital ou uma casa antiga, Foi ali que nasci, e sentir nesse gesto de segundos a cumplicidade que se reserva aos sítios que nunca morrem em nós. Se não é triste, é pelo menos estranho não se ter raízes de qualquer espécie, não se ter um sítio onde se deseje morrer exactamente porque se começou ali. Sinceramente, não me estou nada a imaginar a morrer em Nine, a desaparecer naquela casa sombria, escura, severa, desconfortável, espiada do alto pelos olhos de caruma dos pinheiros, estendida na erva brava que se ergue da terra num orgulho daninho, não me estou nada a ver a fazer companhia a todos os mortos que lá habitam, não por lá terem morrido mas por lá terem vivido.

Parece que a minha mãe ficou muito quieta e calada logo depois de me ter dado à luz, parece que ficou absorta, fitando de olhos semicerrados o televisor que entretanto alguém, parece que a caseira, tinha desligado, parece que não disse uma palavra, uma única, dizem que nem sequer olhou para mim, dir-se-ia que nem me ouvia chorar, dir-se-ia que se tinha calado para sempre. Depois acabou por adormecer, na mesma posição, de barriga para cima, as pernas ligeiramente arqueadas como quando teve que permitir que a minha cabeça florescesse do seu ventre dorido, uma manta até ao pescoço por causa do frio de Outono, uma mão estendida ao longo do corpo, a outra segurando o queixo adormecido. E lembro-me assim tão bem, como quando me contaram, porque me pareceu ser essa a verdadeira estátua da solidão.

Não sei como era a minha mãe em pequena, só a conheço através de raras fotografias, mas desde que a sei que a penso muito bonita. Bonita não será bem o termo, não sei explicar, é uma cara diferente, uma expressão antiga, deslocada no tempo. E só. Poderá uma cara ser só? Não sei, mas sempre foi essa a impressão que me causou, e muito mais agora, que a sei realmente só, os olhos como um desenho rasgado na cara morena, uma boca do tamanho dos seus beijos quando estou doente, mas sempre, sempre, um ar de névoa, um qualquer farrapo de neblina a pairar, gasoso, sobre a timidez dos seus gestos, sobre a indecisão do seu olhar, um pedaço de qualquer coisa que não consigo perceber, que não atinjo, uma espécie de saudade parecida com um punho, uma espécie de melancolia sem horizonte visível, como o mar em frente à casa da minha avó se está nevoeiro, sei lá, uma dor sem princípio nem fim.

Sempre a conheci assim. O meu pai não estava presente quando eu nasci, talvez que ele soubesse explicar à tia Laura e à minha avó e à caseira (dizem que o caseiro também assistiu a tudo, também presenciou o meu abandono de larva, dizem que espreitou pela porta da cozinha, de olhos arregalados de medo) a atitude da minha mãe, talvez que ele soubesse por que é que ela adormeceu, exausta, angustiada, ferida, talvez que ele soubesse explicar os mil e um porquês da expressão da minha mãe. Talvez que ele explicasse àquela gente o porquê da expressão imemorial da minha mãe, talvez que ele me explicasse tanta coisa que quero saber, que viaja sem rumo na minha cabeça, tanta dúvida.

Por incrível que pareça, não me lembro muito bem da minha infância. Mas acho que fui feliz. Acho que fui daquelas crianças temperadas, sem grandes sobressaltos, sem grandes dramas ou alegrias, sem traumas de relevo. E há, no entanto, que contar uma história. Contar que história? A minha? A dos meus pais? A dos irmãos que não tive, que não cheguei a ter? A dos irmãos sobre cujo berço nunca me cheguei a debruçar, numa curiosidade ciumenta, a dos irmãos que nunca tive para me sentar ao pé da minha mãe enquanto ela tecia pacientemente camisolas e casaquinhos e carapins de lã, num zelo de ternura que me arrepiaria de sentimentos de ódio que tentaria refrear, sentimentos confusos, vontades de envenenar biberões, pequeninas feridas de vidro no meu monopólio de atenções e cuidados? Não, não há muito para contar, nem sei mesmo o que se costuma contar, o que é relevante, o que de facto interessa. Já fiz vinte e dois anos, vou indo muito bem obrigada, já perdi de conta os meses, os anos, todo o porradão de tempo que fiquei sem ver o meu pai. Ele não me telefona, não me procura, dir-se-ia que se zangou também comigo depois de se zangar com a minha mãe, não me telefona, não me procura, mas sei que existe, sei que mora com a minha outra avó, sei em que hospital trabalha, gostaria de saber o que quer, como se sente, porque me deixou, gostaria de saber o que lhe fiz de mal, mas todas as dúvidas batem numa parede teimosa que as devolve, todos os anseios se transformam em receios, o meu pai zangou-se comigo sem que eu consiga descobrir a razão desse facto que me incomoda, que não me faz necessariamente sofrer mas que me incomoda, como incomodam as dores de dentes, como chateiam as esperas intermináveis nas filas para os autocarros, o meu pai dorme na mesma cidade em que durmo, respira o mesmo ar, deve maldizer o mesmo céu permanentemente húmido, continuamente chuvoso, percorre certamente as mesmas ruas que eu, admira-me durante estes anos todos não ter dado de caras com ele, ir a atravessar numa passadeira, olhar para o carro que parou por causa do semáforo vermelho e vê-lo, sorrindo-me por trás do vidro embaciado, faz-me confusão nunca o ter encontrado nos cafés, nos cinemas, nas discotecas, que faz, com quem se dá, em quem afoga a sua ternura amordaçada, quem beijará antes de adormecer, como vive fora dos meus limites, fora do meu alcance, agora que sou um pássaro à solta, afiando as garras do desprezo em cada conversa, em cada encontro, em cada beijo trocado ao de leve para provocar o desejo violento de outros beijos, em cada gargalhada accionada pela cerveja ou pelo gin, que músicas ouvirá o meu pai, as mesmas que me fazem bater o pé ou outras fora de mim, fora de mim, para sempre fora de mim, quem és que realmente nunca cheguei a saber, o que és que não me deste, que não me deixaste absorver para ser mais eu dentro do que queria ser tua, ser tua como nunca fui e tenho agora medo de ser, onde estás que a minha mãe envelhece, que o sorriso se lhe torna mais denso e difícil, que as palavras se lhe tornam mais raras, que os silêncios a habitam como se te pudesse chamar olhando o mar que rebenta para lá da estrada e dos eléctricos.

Por incrível que pareça, não me lembro do meu pai. Não recordo sequer a tonalidade líquida dos olhos, não recordo a textura das mãos, esqueci-me da voz, sobretudo da voz, não me lembro, não me lembro, não adianta atender o telefone com secretas esperanças porque não me lembro do tom, da colocação, não faço ideia que palavras empregaria, o que me diria ou como diria, de certeza que não respondia, ficava calada, eterna vítima do logro, do engano, do número errado, da certeza de estarem a brincar comigo porque o meu pai não existe, não existe, já não existe, é uma recordação vaga de passeios pela praia, de gelados de morango, é apenas a lembrança longínqua e difusa de um rosto, de um odor, tenho vinte e dois anos e o meu pai não existe, não morreu mas não existe, estranho, isto poder ser assim, poderão julgar que sou doida mas é assim mesmo, não morreu mas não vive, esqueceu-se de mim como eu começo a pouco e pouco a esquecer-me dele, de certeza que não me conhece se me vir na rua, de certeza que me volta a cara, que me evita, como se eu transportasse uma praga esquisita à qual não quer voltar.

Não sei se me podes ouvir. Tenho a estranha impressão de estar a falar com alguém que está deitado no hospital e não me pode responder. Não tenho, portanto, a certeza de que me escutas. Mas se me puderes ouvir, ouve-me. Escuta-me como eu gostava de escutar o mar à tua beira. Nunca me dizias nada, ainda hoje não sei se por não teres nada para dizer, se por achares as palavras desnecessárias. Escutávamos juntos o mar e depois davas-me a mão em silêncio. Eu era pequena, tu eras grande, e talvez por isso te tenha começado a respeitar antes de amar. Eu era pequena, não compreendia nada nem queria compreender nada, bastava-me a rigidez da tua mão macia a guiar-me, a proteger-me, bastavam-me esses poucos momentos juntos. No resto do tempo, deixava de te ver. Entravas e saías de casa sem que ninguém tivesse tempo de te dirigir a palavra, pegavas apressado na pasta, metias um resto de torrada à boca e disparavas pela porta fora, entravas de repente e encafuavas-te no quarto, tirando apontamentos, ordenando folhas soltas, consultando gravuras esquisitas, se te chamávamos para jantar demoravas-te sempre, assomavas finalmente à sala arregaçando as mangas, de ar preocupado, de olhar ausente, sem nos veres, comias em silêncio, olhando fixamente o copo, eu ficava às vezes a observar-te o movimento redondo das bochechas, chamávamos-te para jantar e esperávamos pacientemente que acabasses, as duas olhando-te sem que te apercebesses. E só hoje, percebes, dou comigo a pensar que talvez o fizesses por nós, só hoje me apercebo de que te esforçavas para que não nos faltasse nada, para que não nos pudéssemos queixar de nada, para que não pudéssemos apontar-te o dedo. Agora me lembro também, se dou comigo a pensar nisso, que te esqueceste do que mais falta nos fazia. Esqueceste-te sempre de olhar para nós, esqueceste-te de falar connosco como imagino farão os outros pais e maridos, de maneira que suprimias essa falta pegando-me de vez em quando na mão, em silêncio, quando julgavas que eu já tinha adormecido em frente ao televisor. Foi então que te comecei a preparar um pequeno truque, fechava os olhos, forçava a respiração, e ficava à espera que te sentasses ao pé de mim. Não me agarravas logo a mão, pelo que deduzo que devias ficar um montão de tempo a ver-me dormir, se calhar olhavas-me e pensavas que se eu estivesse acordada terias muita coisa para me dizer. Mas eu dormia profundamente e a tua coragem tinha o álibi da oportunidade, Amanhã digo-lhe, amanhã conto-lhe o que me move e emociona, devias pensar, sabendo que mentias, pegavas-me então na mão pequenina e esperavas aquela compreensão feita de pele que te habituaste a ter como única e suficiente.

Se me puderes ouvir, ouve-me. Se puderes pensar no tempo que passou, lembra-te que sou uma mulher, que já não uso aparelho nos dentes, que um ribeirinho de sangue me visita todos os meses, pensa, se puderes, que se calhar estou mais alta que tu mas que gostava na mesma de ir passear contigo e ver o mar. Se me estiveres a ouvir, ouve que os seios se me endurecem, que a cintura e as ancas se moldam de curvas estranhas, que os lábios me tremem à noite se estou muito tempo sem namorado. Cresci. Cresci sem que o presenciasses, as pernas esticaram e o pescoço levantou-se sem que estivesses por perto para me explicar, sem que da tua presença fugaz nascesse uma mínima sensação de segurança. É que quando eu era criança sabia-te sempre em qualquer lado que não ao pé de mim, mas sabia-te. Está aqui, está acolá, vem daqui a bocado, pode ser que nem sequer fale comigo mas vem, ouvir-lhe-ei a chave na porta, escutarei a sua tosse no corredor, a porta da casa de banho, as torneiras, o autoclismo, a porta do frigorífico, a porta do armário dos copos, a gaveta dos talheres, a proliferação de barulhos de todos os dias que me garantiam fazeres parte desses dias todos, fazeres parte da minha vida monocórdica que se iluminava de magia por ti, sem que o soubesses.

É isso que me dói, percebes? Nunca mais te ter ouvido entrar em casa, nunca mais saber onde diabo paras, a que horas vens, nunca mais te partilhar os silêncios. Quando estavas em África disseram-te que a mãe tinha um amante e tu acreditaste, és tão estúpido que acreditaste, que regressaste sem nos quereres ver. Não sei o que se passou, nunca o cheguei a saber, sei apenas que nunca mais te vi, sei apenas que esperava ansiosamente o teu regresso, soube depois que não irias regressar nunca mais porque estavas morto, depois foi o 25 de Abril, depois acabou-se a guerra e veio a saber-se que afinal não tinhas nada morrido, que foste isso sim feito prisioneiro numa emboscada, não imaginas a quantidade de mortes que te pintaram, levaste uma bala no meio da testa, levaste uma facada no peito, foste pelos ares com uma mina, e afinal nada disso, afinal decidiram poupar-te, deviam estar a pensar trocar-te por prisioneiros deles, ou então fazia-lhes jeito um médico, morreste, a mãe recebeu um telegrama do exército a dizer que tinhas desaparecido, que o mais natural era teres sido morto com o resto da pandilha que ia na camioneta, morreste portanto, pelo que ouvi dizer morreu lá muita gente, morreste e não sabes que a mãe morreu também, que começou a esvair-se no dia em que recebeu essa carta, que acabou de vez no dia em que soube que afinal estavas vivo mas não a querias ver, simplesmente porque ela acreditou que tinhas morrido.

Como toda a gente julgou que estavas morto, decidiste morrer mesmo, decidiste matar-nos, abandonaste tudo, quiseste morrer porque te julgaram morto, quiseste castigar todos e começaste por ti, é isso que me apavora, pensar que um dia te poderás arrepender, nunca pensamos nisso e um dia zás, achamo-nos estúpidos por termos sido precipitados, encontramo-nos desajeitados perante nós mesmos, sem palavras que justifiquem a nossa ânsia de voltar atrás e apagar o que entretanto se escreveu, um dia estamos a sós com o nosso imenso orgulho e isso deixou de nos bastar, um dia descobres que te enganaste, que afinal a mãe nunca deixou de te amar, descobres que tal como tu foi engolida por um furacão que ninguém podia prever ou travar, um dia, entendes, acordas e não te apetece olhar para o espelho, não te apetece confrontar uma cara que já não tem a certeza de nada e que permanece fechada, cerzida para sempre por um orgulho sem razão.

Eu gosto de me olhar ao espelho. Desde pequena que o faço. O meu pai estava no hospital, ganhando o pão para a família de bisturi em punho, a minha mãe lavava a loiça do jantar e eu corria para o quarto deles, sentindo a voz da locutora da televisão sucessivamente diminuída pelas portas, pelo corredor diminuto, corria para o quarto dos meus pais e experimentava as gravatas, os chapéus da minha mãe, as boinas coloridas, punha brincos, fazia traços com rímel a adensar as pestanas, e tudo isto em frente ao espelho vertical que enchia a parede com o reflexo de todos nós, olhava-me, fazia caretas, cantarolava, um palco surgia por baixo dos meus pés, as luzes acendiam-se e procuravam-me, a cortina abria e eu olhava-me, única espectadora da minha permanente peça de criança só.

Gosto de me olhar ao espelho. Agora que já sou adulta e o cabelo se me precipita para trás dos ombros, agora que me preocupo com a espessura das sobrancelhas ou com a cor dos sapatos, gosto de me ver. Entro no quarto, dou duas voltas à chave, abro o armário do espelho, sento-me em frente a ele, na esquina da cama, e olho-me pela primeira vez. Todos os dias me olho pela primeira vez. A roupa nunca é a mesma, a tonalidade do cabelo nunca é a mesma, a posição das mãos no regaço altera-se sem que me consiga lembrar da maneira de as colocar na véspera. Todos os dias me olho e me olho, à procura de uma resposta às perguntas que nunca fiz, quem sou, quem é esta em frente a mim, encaixilhada numa porta de armário, de quem é aquela expressão e de onde nasce, o meu nome revela-se desconhecido, Rita, olho-me nos olhos, digo devagar Ri-ta e nada acontece, não me respondo, Rita Rita Rita Rita, a boca num movimento contínuo à laia de um motor bem oleado, trabalhando ao ritmo da minha procura, da minha pergunta, Rita Rita responde a este apelo que não sei de onde vem.

Gosto de me ver. Saio do banho a tiritar, a toalha cobre-me os seios, as nádegas descobrem-se com os movimentos, os cabelos molhados parecem as algas que costumava pendurar no pescoço, na praia, no tempo em que ria com o meu pai desses absurdos colares marinhos, paro em frente ao espelho, de pé no meio do quarto, o sol da manhã espreguiça-se na alcatifa, vejo o púbis que treme e lembro-me de uma mão sobre ele, há seis anos, lembro-me da saída da discoteca, da corrida até à praia em frente, recordo-me do calor do álcool em todos os poros, lembro-me dos braços do meu namorado a puxarem-me, as mãos a percorrerem-me a curva pronunciada das costas, parece-me ouvir, de pé no meio do quarto, a minha própria respiração de bicho cansado, recordo a maleabilidade da areia, o cheiro intenso e demasiado próximo das ondas, entretanto as minhas calças fugiram de mim, raptadas por uma mão sôfrega, esta mesma que procura entre as minhas pernas a quente humidade que lhe garanta ter chegado ao objectivo, saí do banho nesta manhã mas continuo na praia naquela noite, indiferente ao frio, indiferente ao desconforto, alheia ao peito apressado que comprime o meu peito, as pernas abrem-se sem que as saiba explicar, num líquido lento movimento, silencioso como o das medusas, sinto a face a arder agora que saí do banho e me olho, agora que julgo ver através da janela os rochedos que nos guardavam, que julgo ouvir a cadência de espuma das águas, agora que o meu namorado se encosta mais a mim até eu sentir uma espécie de calor sólido a forçar uma resistência de carne dentro de mim, olho para o lado e a cara enche-se de areia, olho para o lado e a súbita luz do farol revela-me a expressão quase adormecida, anestesiada por um prazer vago, uma paz furiosa de suor, já está, já está, não é preciso mais, já está, as ondas olham-nos, os peixes olham-nos, os mexilhões, encostados uns aos outros, olham-nos também, nos seus olhos minúsculos de sal, penso que foi por uma situação semelhante que o meu pai deixou a minha mãe, me deixou a mim

e isso irritou-me, percebes?, deixaste tudo por causa duma coisa destas, repara, vê como é, quando o meu namorado deixar de dar ao rabo levanto-me, sacudo a areia, entro pelo mar dentro, a água deve estar gelada e isso deve ser bom, entro pelo mar dentro, retiro o que resta da areia, esfrego o púbis, limpo o interior da vagina e nada se passou, nada, és capaz de perceber?, esfrego-me, lavo-me, e volto a ser a mesma, exactamente a mesma, só um bocadinho mais cansada, peço-lhe para me levar a casa, espero que abotoe a camisa, acendo e estendo-lhe o cigarro que me pediu, ele sorri-me enquanto mete a fralda da camisa dentro das calças e eu tento sorrir também, porque já percebi que isso é importante para vocês, porque já me dei conta que os homens ligam muito a estas coisas, sorrio e ele pensa que lhe estou agradecida pela sua vigorosa investida de macho, sorrio sem que ele repare que estou cansada, que quero ir dormir, ele não repara no farol, que tenta desesperadamente guiar os barcos perdidos dos meus olhos que se fecham.

Sorrio, pai, porque não concebo que tenhas abandonado a minha mãe por causa desta merdice sem importância, por causa deste acto inconsequente. Sorrio e o meu sorriso é triste como os lábios de luz dos faróis, piscando noites e noites sem cessar na direcção de embarcações que não regressam nunca, sorrio porque realmente não te compreendo, não percebo a tua fuga, a tua debandada de eremita, não percebo por que nos deixaste sós, por que te deixaste só.

Ouve-me. Por favor, ouve-me, agora que decidi falar novamente contigo. Abandonei tudo, atraiçoei as regras que me impuseram, e tudo isto para poder falar cinco minutos contigo. Ouvi dizer que tens uma namorada, parece que é mais ou menos da minha idade, disseram-me que a levas aos pubs e às boites, alguém me disse, já não sei quem, que te viu encostado ao balcão, abanando o gelo do whisky, rindo, ouvindo histórias e anedotas de meninas e meninos da minha idade que acham imensa piada ao facto de seres um eterno jovem, um homem maduro e aberto, que entra facilmente numa boa, um quarentão a quem as têmporas embranquecem mas que nem por isso tem atitudes caretas, não te sabia, pai, um gajo fixe, sempre te soube assustado, ocupado com o tempo que parecia permanentemente faltar-te, gostava imenso de te ouvir rir, juro-te, apenas ouvir-te rir, ver-te as esquinas dos lábios aproximarem-se das orelhas, observar-te de longe a alegria, o desembaraço, a futilidade que te faz leve, gostava de ver-te enlaçar a tua namorada e sentir-me assim enlaçada, talvez pela mesma pele fresca e pelas mesmas nádegas roliças. E no entanto – é estranho – talvez te compreenda. Por um lado, és capaz de ter razão, a mãe envelhece a passos largos, o seu sorriso antigamente tão bonito forma agora pregas idênticas à água dos lagos quando para lá atiramos pedras, os mesmos riscos fundos que alargam.

De certa forma, compreendo-te. A mãe sai pouco, a maioria das vezes especa-se em frente à televisão até se ir deitar, tem que pôr os óculos quando as legendas dos filmes são muito pequenas, uns que comprou na semana passada e que por acaso até são giros, qualquer dia peço-lhos quando for ao Twins, os seios da mãe murcham a pouco e pouco por dentro do biquini ultrapassado, as coxas vão ficando mais flácidas, talvez tenhas razão, a mãe não frequenta os bares da Ribeira modernizada, não se veste de cor-de-rosa ou verde-alface, a mãe não masca chiclete nem bebe canecas no Bela Cruz, a mãe envelhece, és capaz de ter toda a razão ao preferir os rabos iguais ao meu, rijos, redondos, baloiçantes nos jeans, fazes muito bem em escolher as barriguinhas assim lisinhas, sem a chatice gelatinosa das estrias, o umbiguinho redondo, olha assim como o meu, que maravilha os seios descobertos oscilando ao sol do Algarve, a mãe envelhece, talvez que a devesses convidar para um vodka no Swing, talvez que tu a convencesses, ela comigo nunca quer sair, convido-a às vezes mas nunca quer vir, os meus amigos esperam lá fora, acelerando o Escort XR3 ou o Peugeot 205 e enchendo o quintal de fumo, a mãe nunca quer vir, dói-lhe a cabeça, está cansada, amanhã tem que se levantar cedo, prefere ficar em casa, enfiar-se de certeza no quarto a ler, de copo de leite na mão, talvez que tu a convencesses, não te deve faltar paleio. Mas o mais incrível – acredita – é que quando entro para o carro do Bernardo ou do Guiducho, olho uma última vez lá para cima, na direcção da janela permanentemente iluminada e tenho a certeza, percebes, que enquanto abre o livro na página marcada, enquanto põe os óculos e leva o copo à boca, dá-me a sensação que espera, que ainda e sempre – acredita – te espera.

O senhorio empurrou a porta com ar proprietário e convidou-nos a entrar. Aqui é o hall como podem ver não muito espaçoso mas convenhamos que o suficiente, aqui à esquerda é a cozinha (e empurrou outra porta, já dentro de casa, para que pudéssemos ver), em frente fica a casa de banho, aqui à direita temos a sala e a porta que dá para o corredor onde ficam os dois quartos, alguma pergunta?

Penso que não houve perguntas, a mãe do Pedro já tinha conversado com o homem sobre a renda, penso que já tinha acertado tudo em matéria de contas. Fomos acompanhados até ao rés-do-chão pelo homenzinho minúsculo, de larga gravata berrante espalmada no peito, lembro-me dele a apertar a mão do Pedro, um daqueles cumprimentos vigorosos e demorados, sorriu uma fachada amarela e disse, Tenho a certeza que nos vamos dar bem, vão ver que a casa é bem jeitosa, o Pedro sorriu, Acho que sim, depois ficámos a vê-lo dirigir-se ao automóvel cinzento metalizado de repente demasiado grande para os seus braços reduzidos que procuravam a chave na profusão confusa do bolso exterior do casaco, vimo-lo arrancar num supetão de fumo, ficámos ainda a vê-lo afastar-se, enquanto acenava numa amabilidade distraída.

Os primeiros tempos não foram nada fáceis, nem eu nem o Pedro estávamos habituados a fazer contas, a medir dinheiros, a racionar gastos, nunca nos havíamos visto naquela situação. E de repente, pimba, eis-nos finalmente sozinhos connosco, sem o devido tempo para pensar, sem a devida preparação para pesar prós e contras (como serão os casamentos a sério?), eu e o Pedro, de repente, vendo aproximar-se a hora do jantar com o mesmo terror ancestral que sentem as crianças no fim das férias, penso que a mesma tristeza, penso que o mesmo desapontamento, a mesma sensação de traição, o mesmo desmoronar do castelo de cartas. Eu entrava na cozinha como uma operária no primeiro dia de trabalho, a mesma estupefacção, o mesmo medo de não ser capaz, de não corresponder, de confundir todos os movimentos. De maneira que me deixava ficar minutos a fio de rabo encostado à banca, os braços cruzados à espera de uma resposta, de uma solução, de forma que olhava as compras feitas à tarde, a carne, o arroz, os ovos, a massa, com o mesmo espanto sem nome de explorador diante de uma descoberta imprevista. Na sala, o Pedro devia estar sentado no chão, de costas apoiadas à parede, como sempre fazia ao fim da tarde, como sempre acontecia sempre que se punha a pensar como tinha ido ali parar, o Pedro devia, como sempre, fumar numa lentidão feita da total ausência de pensamentos. De maneira que peguei finalmente num saco de arroz, rasguei uma ponta, despejei um pouco num tupperware, lavei-o, de maneira que procurei a frigideira que a minha sogra nos tinha emprestado, abri uma porta do armário, outra, não havia maneira de dar com o raio da frigideira, desisti por momentos da busca para regular melhor a temperatura do disco eléctrico, o tacho estava pronto para receber o arroz, mas uma coisa de cada vez, abri outra porta, e outra, nesta última encontrei a frigideira, mas não só, uma avalanche de tachos e panelas e tampas e recipientes de plástico precipitou-se sobre mim num estrondo de catástrofe, um ruído violento na banca, um ruído violento no chão, um escarcéu do diabo, a voz do Pedro na direcção da cozinha, O que foi?, Que aconteceu?, e eu sem reacção nenhuma, e eu sem lhe responder, com o rabo encostado à banca, olhando com susto e ódio os alumínios e os aços inoxidáveis que baloiçavam ainda, ao de leve, como os cavalos feridos que tentam ainda levantar-se.

Por essa altura jantávamos quase sempre em casa, a pouco e pouco a angústia foi cedendo à escalada imperiosa do hábito, a pouco e pouco a cozinha deixou de ter segredos para mim, devagar, lentamente, os medos foram-se dissipando, fomos tendo menos tempo para nos preocuparmos com eles. Por essa altura, habituávamo-nos a viver sozinhos, a viver um com o outro, a aguentar as paranóias e picuinhices um do outro, a fazer jantares e almoços, a lavar roupas e loiças, a polir chãos e banheiras, quando se calhar o que me apetecia era ainda namorar, sentindo a verdadeira vida lá ao longe, talvez me apetecesse ter tido tempo para fazer planos, para desenhar na cabeça minuciosos projectos de felicidade. Não me lembro, mas talvez me apetecesse, enquanto mudava fraldas à minha filha, receber cartas de apaixonados ou das amigas estrangeiras com que sempre sonhei e nunca tive. Talvez, em resumo, não devesse ter casado na altura em que casei porque me apetecia, se calhar teria sido melhor esperar por uma altura mais aconselhável, mesmo que então já não me apetecesse.

Nesses tempos, vivíamos na Rua Pedro Hispano, num primeiro andar que baloiçava pouco acima do passeio, por esses tempos éramos vigiados, enquanto comíamos, pelos olhares admirados e divertidos das pessoas que viajavam no segundo andar dos autocarros, a maior parte das vezes esquecia-me de correr as cortinas e quando nos preparávamos para cortar o bife ou descascar a laranja lá estavam elas, dezenas de cabecinhas todas viradas para o mesmo lado, como os turistas das excursões, surpreendidas com o imponente monumento da nossa solidão. A solidão, dou comigo a pensar, não é ruminar ideias desconexas no vazio de uma casa ou à solta num jardim, a solidão é um casal que janta em silêncio, não por falta de assunto, não por o amor ter acabado, mas por medo, por receio de que as palavras não possam ser outras que não, E agora?, E agora como é que se faz? A minha filha começou a chorar lá dentro, o som agudo da sua garganta ricocheteava nas paredes como uma bala perdida e eu disse Pedro, podias ir lá, sabendo perfeitamente que ele não iria, sabendo perfeitamente que se limitaria a puxar de um cigarro (e puxou), que iria ficar a olhar pela janela, avaliando de olhar vazio como os velhos à porta das tabernas o movimento cinzento do café em frente, que iria permanecer calado, num interesse absurdo por quem entrava ou saía, olhando as motos que passavam envoltas numa estridente nuvem negra, escutando sem ouvir as frases soltas e todos os ruídos vulgares. Por isso fiz um montinho de porcelana com os pratos sujos e dirigi-me à cozinha em precauções de equilibrista sem rede.

De vez em quando tínhamos visitas, a mãe do Pedro, mas principalmente os amigos que havíamos conservado ao longo dos anos e dos trajectos, como náufragos abandonados numa ilha que se continuam a contactar depois de terem sido salvos, a Eduarda, o Emídio, o Manel Zé, toda a pandilha que aproveitava o nosso casamento prematuro para fugir à chatice dos cafés e se refugiar, num misto de amizade e comodismo, no espaço reduzido da nossa sala incompleta. Eram amizades trazidas de longe, da infância, do liceu, da Apúlia, um grupinho de cúmplices que comungava as chávenas de café numa celebração de sacerdócio, e o silêncio dessas ocasiões garantia-nos, de certa forma, continuarmos a existir num qualquer espaço dentro uns dos outros, a capacidade de reviver o que já não era tempo de viver, aquilo que sabíamos que não voltaria jamais. De maneira que nos enganávamos, de maneira que nos ríamos das anedotas como na primeira vez, de maneira que evitávamos falar do futuro por já estarmos dentro dele, de forma que a linguagem monocórdica de um passado comum constituía a cortina de ferro contra as responsabilidades súbitas de um crescimento sem alicerces.

À medida que o tempo foi passando (e passou tão depressa), fomos gradualmente aprendendo a viver com o que íamos construindo, precipitávamos acontecimentos com medo de nunca os virmos a viver, a pouco e pouco o Pedro deixou de acordar com o choro da filha, foi-se habituando e nem sequer mudava de posição quando a Rita, invariavelmente por volta das quatro da manhã, erguia aos céus o seu protesto de bezerro desmamado, enquanto eu vestia o roupão a tiritar de frio, enquanto eu caminhava para a cozinha no passo curto e apressado das chinesas de quimono, fervia águas e preparava biberões.

O meu marido estava quase a acabar o curso que parecia estar a roubar-lhe o interesse e o entusiasmo por tudo o resto. Talvez por isso, nunca o chateei com assuntos que sabia de antemão não lhe interessarem patavina, talvez tenha aceitado sem o saber o cartaz «interrompido, segue dentro de momentos» que afixáramos sem nos darmos conta, na caminhada trepidante que foi a nossa vida. Na altura, quem trabalhava era eu, eu é que arrastava a nossa filha cheia de sono ou febre para o emprego insonso numa boutique que a minha mãe me tinha arranjado (as suas grandes influências, os seus importantes conhecimentos), permanecia seis ou mais horas em pé a aturar gordas que exigiam vestidos que as fizessem magras, frívolas secas que queriam saber qual a cor que lhes ia melhor com as madeixas, e eu tão longe dali, e eu a sorrir para me mostrar prestável, eu que queria também tempo e dinheiro para me vestir, para me arranjar, com medo que me notassem as olheiras fundas, as unhas roídas enquanto fazia as fitas dos embrulhos, enquanto cortava a fita-cola, o cansaço da boca desistida quando dizia boa-tarde e muito obrigado, esperava que as freguesas não levassem a mal a minha filha ali sentada no chão, um fiozinho ténue de ranho a escorrer do nariz, fitando-as por cima da chupeta e da fralda inseparável com os doces e amedrontados olhos dos cachorros.

O meu marido está em casa a estudar medicina para ser doutor e consequentemente alguém na vida, pensava eu na pausa entre duas clientes, qualquer dia o meu marido chega aqui, dá um biqueiro na porta, entra, sorri para a minha filha sentada no chão e nem precisa de dizer nada, eu adivinho-lhe de pronto o canudo debaixo do braço, adivinho-lhe o dezoito ou quem sabe o vinte, levanto-me de um salto (as olheiras desapareceram, nunca estiveram lá), voo por cima do balcão, atiro-me ao seu pescoço e saímos, talvez lhe compremos uma gravata nova. Mas não. Quando o Pedro se formou fomos todos jantar fora, sendo o todos eu, a minha sogra, os meus cunhados (a minha mãe não pôde ir, estava muito cansada, o bridge é terrível para os bicos de papagaio), tentámos uma marisqueira de Matosinhos mas não havia lugar, a minha sogra sugeriu um restaurante chinês. Fomos àquele ao pé da Ponte D. Luís, um empregado de olhos reduzidos a dois traços horizontais guiou-nos até à mesa redonda. Os meus cunhados, então por volta dos quinze anos, achavam um piadão aos nomes esquisitos dos pratos, o jantar decorreu entre olhares enlevados da mãe, entre o meu olhar preocupado por ver o Pedro tão cansado como se tivesse feito dez ou vinte cursos, como se se tivesse gasto em demasia, como se a licenciatura lhe tivesse roubado as forças para o que vinha depois, a responsabilidade de alimentar a família, a responsabilidade de ter uma mulher e uma filha, quem sabe se até a morte nos separe, que peso demasiado nos seus ombros, parecia-me que envelhecia demasiado ao meu lado, os empregados iam e vinham, passavam junto à nossa mesa, rápidos e amarelados, os miúdos escondiam a boca com as mãos, a tentar abafar o riso, aquele riso sem razão dos quinze anos, o único riso que se deve à vontade de rir, olhavam na direcção um do outro e as gargalhadas estalavam, confundindo-se com as conversas e a música ambiente, pegavam à vez na lista e riam da sopa de ninho de andorinhas, da barbatana de tubarão, do arroz chau-chau, riam, alheios ao peso demasiado que pairava sobre o irmão, a minha sogra enchia o silêncio com conselhos de ocasião, o Pedro respondia, Eu sei, Eu sei, sem levantar os olhos da sopa, chegaram por fim as bananas fritas e eu a pensar que aquilo nunca mais acabava, os sapatos novos apertavam-me, só pensava em ir a casa da minha tia Laura buscar a minha filha, já só pensava em chegar à minha casa desconfortável na desconfortável Rua Pedro Hispano, atirar os sapatos pelo ar, desprender o cabelo, deitar a Rita num cuidado de cristal, o meu marido vai ficar sentado na sala, a desapertar o nó da gravata, a fechar os olhos cansados até eu ir ter com ele para ouvir o sussurro bom da noite que incha de estrelas pelo vidro sujo da janela.

Mas não. Prepararam-nos uma festa-surpresa, abri a porta, pareceu-me ouvir ruído, não liguei, acendi a luz e uma rolha de garrafa saltou com tal estrépito que acordou a minha filha que dormia nos braços do pai, uma enorme confusão de gritos, de palmas, de efusivos cumprimentos, risos, abraços, vozes que perguntavam, Não estavam à espera desta, hã?, vozes que reclamavam o Pedro Dá cá um abraço, Até que enfim, Até que enfim, Venha daí um bacalhau senhor doutor. Eu ia sorrindo como podia, à esquerda e à direita, Só vocês para se lembrarem de uma maluqueira destas, os sapatos a magoarem-me, a minha filha pelo chão, agarrada à minha saia como os gatos aos cortinados, o mesmo medo de cair, o mesmo pavor amedrontado, o Pedro era cumprimentado e abraçado, fui dizendo, Acho que ainda há gelo no frigorífico, Os copos estão aí nesse armário, e no meio dos risos, do champanhe, no meio dos gritos e das fatias de bolo, a cara do meu marido afigurou-se-me de repente demasiado velha, demasiado deslocada, como se não reconhecesse o homem que dormia comigo e no seu lugar deparasse com o sabor acre de um cansaço pungente que até então me tinha passado despercebido.

Depois, quando parecia que tudo iria correr sobre rodas, depois, quando o Pedro já se habituara ao trabalho e ao hospital, quando se começava a habituar aos enfartes e aos braços partidos, às blenorragias e aos traumatismos cranianos, quando eu também me habituara ao odor a éter das batas que tinha de lavar, quando já aprendera a viver com os cheiros a pomada que deixava na casa de banho, quando tinha os seios e as costas e as nádegas esterilizadas pelos nossos abraços a meio da noite, veio a guerra para nós. A guerra já existia, sabíamos disso, falava-se disso, alguns amigos nossos já tinham ido para o ultramar, alguns tinham já regressado. Só que nenhum deles queria falar do assunto, calavam-se, viravam a cara, mudavam de conversa, isto contava-me o Pedro se os encontrava no café, no acaso de uma rua, no intervalo de um cinema. Dos nossos amigos mais chegados, ainda ninguém tinha partido, quase todos estudavam, mas ouvíamos falar da guerra quando o Emídio nos irrompia pela casa dentro, indignadíssimo, aos berros, É incrível, só nós não sabemos o que se passa no nosso país, por toda a Europa se fala do colonialismo português e por aqui nada, Há milhares de gajos a matar ou a morrer conforme a sorte, milhares de homens a embarcar todas as semanas, vocês percebem?, e apontava na nossa direcção um indicador de acusação, introduzindo-nos sem cerimónias no extenso rol de culpados. De facto, a cidade ia ficando despida de homens, deserta de jovens, se íamos ao cinema apenas se nos deparavam rostos rugosos de cera, apenas senhores curvados e calvos invariavelmente vestidos de preto ou castanho, apenas senhoras idosas atapetadas de rouge, de maneira que nos perguntávamos, sem prestar grande atenção ao filme, onde estaria toda a gente, que fariam as pessoas da nossa idade nessas noites chuvosas, aumentadas de silêncio e escuridão pelo desfilar de ladainha das gabardinas e guarda-chuvas.

Em África, respondia o Emídio. Todos em África, esclarecia o Emídio e o rosto transfigurava-se-lhe, as mãos cresciam na nossa direcção para nos estrangular no nosso nojo de cúmplices, o desespero do Emídio subia até tocar as nuvens que pairavam sobre o meu país, até que o cansaço o fazia sentar-se num canto da sala, a cabeça escondida nas mãos, os ombros tremidos ao de leve como um aflito de memórias tortuosas.

Foi então que a guerra chegou até nós. Foi nessa altura que o seu bafo podre se desprendeu de uma carta que intimava o Pedro a comparecer em Mafra, passei então a vê-lo chegar, pálido, careca, a farda a dançar-lhe na cintura e nos ombros. Passaram três semanas de recruta e eu perguntava-lhe Pedro, o que é que queres comer?, e ele nada, e eu Pedro, queres que te ponha a água a correr para o banho?, e ele nada, nada de nada, sentava-se na sala de boina entre as mãos, de mãos entre os joelhos, olhando em frente como um busto de museu até as lágrimas começarem a correr devagarinho, como os primeiros pingos de chuva nas vidraças, até ao parapeito barbado do queixo. Foi portanto por essa altura que nos começámos a aperceber da dimensão do pesadelo que o Emídio insistia em denunciar, em pé no meio da sala, vibrando o jornal como uma arma inútil, escarlate de indignação. Até então não lhe tínhamos dado muita importância, ele sempre foi muito exagerado, uma queda especial para o espectáculo, um sentido apurado para o drama, mas agora sentíamos na pele as suas ameaças, os seus avisos de eremita solitário, o Pedro partia semanalmente de farda a baloiçar à volta dos ossos, fui ficando de repente muito só, mais só do que alguma vez tenha sido, mais só do que quando o meu pai partiu, arrastado por uma corrente com a qual ainda hoje não aprendi a viver, de repente a minha filha crescia sem que eu pudesse fazer algo para o evitar, para o refrear, para o atrasar, a minha filha crescia diante dos meus olhos expectantes, brotava da terra como um pinheiro indomável, falava cada vez mais, andava cada vez com maior segurança, e eu não encontrava maneira de a parar, de rasteirar a sua escalada, de enganar o seu crescimento e conseguir mantê-la pequena, indefesa, balbuciando sílabas de um livro de histórias como os que recuperam dos derrames cerebrais.

O Pedro ia para Mafra, vinha de Mafra, eu lavava-lhe as calças, passava-lhe as camisas, engraxava-lhe as botas enquanto ele permanecia na sala, de cabeça a vaguear por um quartel infestado de ratos, sentava-se à chinesa no chão, de costas apoiadas no sofá, trespassando a televisão de olhar ausente, a Eduarda é testemunha, lembra-se com certeza das tardes de domingo antes de o levarmos à estação, recorda-se de ficarmos a vigiá-lo da porta da cozinha, a repararmos nas suas mãos paradas e na sua expressão inexpressiva, como se nada o pudesse fazer mover, ou pior, como se nada fosse tão importante que o fizesse mover ou reagir, Onde estará ele, perguntávamo-nos nessas brancas tardes de domingo, Em que pensa?, indagávamo--nos sem palavras, em pé no chão eternamente gorduroso da cozinha, como antropólogos perante um nativo em cativeiro. Às vezes o João Maria ia lá a casa, nessas nulas tardes de domingo, também fardado, também cansado, também pouco ou nada falador, a mesma intrigante maneira de nos olhar sem nos ver, de nos escutar sem nos ouvir, dali a nada metíamo-nos no carro e seguíamos para a estação, dava-lhe um beijo rápido nos lábios que secavam e ficávamos, a Eduarda e eu, a ver as carruagens que se afastavam, cheias de boinas e mãos pelas janelas, como se nesse aceno último estivesse todo o sumo das palavras que não conseguíamos dizer se estávamos juntos, frente a frente em corpo, que é a maneira mais verdadeira de se estar.

Depois, um dia, sem que me pudesse preparar, estava a assistir a paradas militares em Viana do Castelo, dezenas de fardas verdes que acertavam o passo umas pelas outras, centenas de boinas cor de vinho a ondular ao ritmo das passadas, como conchas na vazante, a mesma desistência líquida, a mesma inutilidade de espuma, o sol a pino conferia aos ladrilhos do solo o brilho ofuscante de uma moeda nova. Ao meu lado, esticando o pescoço por cima da multidão que enchia os passeios da avenida, a minha sogra procurava o rosto do filho no meio dos mil rostos que marchavam, no meio dos homens que embarcariam dali a pouco, agora sim, África, compreendi-o lentamente, como se tomasse o gosto a um paladar novo, adormecido durante meses por rejeição, foi então que o vi, um rosto no meio dos rostos, uma cara no meio de tantas outras, mais uma boina, mais uma mão em pala junto da testa, Não vás, lembro-me de ter sussurrado, Fica, lembro-me de lhe ter pedido como se fosse possível fazer-me esse favor, como se tudo pudesse ser exactamente como eu queria, como se tudo se vergasse ao meu apelo mudo.

A Eduarda agarrou-me o braço com força, mas eu tinha a certeza de que não choraria, não sei porquê mas sentia-me totalmente seca por dentro, totalmente oca e vazia, reduzida a um corpo que presencia, que observa, a angústia fez com que adquirisse a substância de mármore das figuras de cera, o que me impedia de fazer fosse o que fosse que não assistir. A minha sogra exclamou sem me fitar, de braço e dedo esticados como as estátuas junto ao mar, Vai ali, olha, e mais alto, como se ele a pudesse ouvir, Pedro, esperando que ele se virasse e acenasse também, com a boa disposição de quem parte para uma viagem de negócios, esperando apenas que ele se virasse, ainda que não pudesse sorrir, mas que se virasse na sua direcção, pedindo de lábios parados a sua primeira bênção.

África, pensei eu, e mastigava o nome como quem quer adivinhar o sabor à pastilha, África, à medida que ia recebendo os sucessivos aerogramas do Pedro, os irónicos aerogramas amarelos e rosa da tropa, chegava a casa ao fim da tarde, depois da boutique, segurava o saco das compras com uma mão, com a outra abria a caixa do correio e lá estava o meu nome escrito em papel amarelo ou azul-celeste, o meu nome de que me esquecia até o ver desenhado por aquela mão distante, que colocava tudo o que não conseguia dizer nessa terna caligrafia, entrava, pousava o saco na cozinha, e se a minha filha já tinha regressado do colégio puxava-a para mim, sentava-a ao meu lado e lia em voz alta a voz longínqua do homem que há tanto tempo não dormia comigo, que há tanto não me sorria na pele e não nas fotografias (ele de tronco nu e calças de camuflado com uma enorme planície amarela lá ao fundo, ele e outro sentados a uma mesa repleta de cervejas, a fazer graças para a objectiva, com um macaco ao ombro), e em todas as fotografias os mesmos olhos transparentes, o mesmo cenário monótono, as mesmas silhuetas sem graça de homens cansados, demasiado fartos, demasiado sós, eu lia em voz alta, com pausas para acalmar a sede da minha filha, Aqui fala da Rita, quer ouvir?, e então lia, E a minha filha Ritocas, está boa?, espero que não ande a fazer muitas asneiras e que seja amiga da mãe, um grande beijinho do pai que a adora e que nunca a esquece, e eu chorava e sorria ao mesmo tempo e pensava, Nunca foste pai, acho graça à tua tentativa de o seres por correspondência, como se te fosse mais fácil escrever do que falar, eu chorava e odiava-te por me fazeres chorar em frente à minha filha, em frente à sua precoce perspicácia (Por que é que estás tão triste, mãe), até que limpava as lágrimas à manga da camisola, dava ao de leve uma palmada no rabo da minha filha (Ôpa, vamos lá fazer o jantar!) e enquanto me dirigia à cozinha e perguntava à minha filha as suas peripécias na escola, ia pensando para dentro, para aquele espaço tão só nosso que evitamos ao máximo mexer-lhe sem razão, Nunca foste pai, nunca tiveste tempo para o seres, arrastaste sempre contigo a mágoa incómoda de nem sequer teres sido filho, nunca foste pai e começas agora a tentar sê-lo, agora que estás distante e te devem fazer falta os biberões das quatro da manhã, agora que te devem faltar os meus braços que te procuram, viscosos, na ilha de linho do colchão, que te deve faltar, caramba, tudo aquilo que não consideravas importante, porque essa é a verdadeira dimensão da partida, quando desejamos as chatices, quando desejamos os tédios, desde que isso nos devolva aquela sonolência morna que nunca quisemos de facto abandonar, porque não sabemos viver fora da sua chata previsibilidade, porque nos assusta perder de repente toda a monotonia que aprendemos a odiar.

Não vás, tinha-lhe pedido em silêncio no cais de Viana, uma súplica de boca cerrada, como as promessas das beatas, Não me deixes. Partiu, e junto com ele alguns dos nossos amigos, com os seus nomes anónimos que não vos dizem nada mas que recordo com mágoa se lhes lembro os olhos, se lhes recordo a desastrada postura de potro na parada, se lembro a infância a correr pelas praias da Apúlia, se lembro o cheiro a sal, a mar, os nossos ingénuos sorrisos que não acreditavam que a vida passasse dali, daqueles agostos ventosos, dos mergulhos ao fim da tarde, das algas e da areia, do jogo do prego, sentados de roda em frente às barracas. Partiu o Pedro, partiu o João Maria, partiu o Manel Zé, há choros e lenços brancos na língua de madeira do cais que penetra as primeiras ondas, fiquei eu, ficou a Eduarda, ficou a minha sogra, a namorada do Manel Zé que conheço mal, e à medida que o barco se afastava e se perdia na preguiça do horizonte, ocorre-me que talvez sejamos só uma mulher, que talvez só um homem tenha partido, sou igual àquela velha que chora dentro do xaile, além, sou igual a esta criança que acena porque lhe disseram para acenar, para que a mãe se sinta um pouco acompanhada na sua dor. Só partiu um homem, penso eu, desconheço-lhe o nome, o rosto, as expressões, no cais só uma mulher chora baixinho, um homem foi-se quem saberá dizer para onde, quando voltará e com que histórias para contar, que aventuras impensáveis, voltará, não voltará, choremos entretanto, somos portuguesas, habituadas a estas coisas, choremos que o homem foi ao mar, choremos e pode ser que ele volte, sorridente, bronzeado, com a rede cheia do peixe da saudade.

O meu homem partiu, com ele tantos outros, há quanto tempo, não sei, o tempo deixou de significar, o tempo são as noites que passo sozinha, a ver televisão até cansar os olhos, até a cabeça se esquecer, até a minha filha adormecer com os pés no meu colo e a cabeça na extremidade do sofá, até a minha filha adormecer e eu ficar a ouvir, de cabeça encostada ao vidro da janela, os últimos autocarros que chiam o seu bafo de bois cansados a caminho do curral da garagem. Depois disso deito-me, vou-me deitar que é o melhor que tenho a fazer, desligo a televisão, apago a luz da sala (e dá-me a impressão que os móveis aproveitam para falar baixinho, para se murmurarem ternas confidências de madeira barata), vou ainda à cozinha, a minha filha acordou e persegue-me, como uma sombra pequenina, no meu trajecto de fantasma por morrer, abro uma garrafa de água das pedras, bebo, abro a torneira para lavar o copo, o som lembra-me a torrente fresca que passava por baixo do moinho, em Nine, desligo a luz e a escuridão garante-me que estou de facto só, não me adianta ficar de olhos abertos no colchão à espera de uma chave na porta que não há-de vir, que não há-de vir, que não virá, que não sei se alguma vez voltará a existir, uma chave na porta que abrisse o ferrolho do meu coração sobressaltado de lebre, agora tudo me faz medo, as sombras que os lampiões da Pedro Hispano desenham nos tacos do chão fazem-me medo, a certeza de relógio do pingo da torneira do bidé faz-me medo, a minha filha faz-me medo, adormecida ao meu lado no excessivo silêncio dos cadáveres, adormecida ao meu lado como uma pequena ilha de cabelos e pele macia da qual sou o único apavorado habitante, um fraquejante robinson crusoé que nenhum navio salvará porque não há nenhuma chave na porta, nenhuma, o silêncio cresce como os pulmões nas montanhas, o silêncio incha dentro do quarto como o gás nas câmaras fechadas, cresce, asfixia-me, já não sei há quanto tempo estou sozinha, deixei de contar, há quanto tempo recebo aerogramas coloridos em vez de receber mãos, olhos, boca, em vez de receber a tua pele que me faz tanto lembrar a pele da nossa filha, em vez de te receber todo, de uma só vez, como dantes, todo de uma só vez como se quisesses desaparecer em mim, para um sítio onde ninguém te pudesse ir buscar, um esconderijo no meu medo que te escondesse para sempre, nenhuma chave na porta, não haverá nunca mais nenhuma chave na porta, estás onde, tens comido bem, tens frio à noite, estás onde, esqueci-me sempre de to perguntar nas cartas, só sei que em Angola, só sei que para o sul, Luso, Alto Cuíto, sítios que não conheço e não conhecerei nunca, sítios que só sei longe de mim, tudo, amor, longe do que planeámos, um acidente de percurso, quero acreditar, um insignificante desvio de rota, temporário e perecível, mas não, apercebo-me de que já passou demasiado tempo desde que partiste, onde estás, procuro-te de noite, estendo a mão para o teu lado da cama, e não estás, balbucio o teu nome e não te encontro, estendida de barriga para cima como os afogados, nenhuma chave na porta, sou uma mulher portuguesa que espera, como todas as mulheres portuguesas que esperam que voltes, não interessa quando ou como mas que voltes, trazendo contigo a nossa saudade portuguesa, trazendo no bolso da camisa todas as cartas tontas de amor que te enviámos como se não esperássemos que as recebesses, endereçadas para o vazio imenso, para o nada, para nós próprias, porque temos medo que saibas o quanto te amamos, porque não queremos que saibas que as noites sem ti são terríveis de suportar, que sem ti os dias se prolongam, cinzentos, em vagarosos minutos, sou uma mulher à beira-mar e espero que do nevoeiro, e espero que do escuro horizonte surja um mastro triunfante, uma vela branca enfunada, e lá dentro tu, e lá dentro vocês todos, homens únicos de únicas mulheres, sem sombra de sangue na farda, sem nenhum cansaço nos ossos, sem raiva nenhuma nos dentes, vocês, só vocês, homens de cabeça pousada no nosso regaço de portuguesas à beira-mar.

O meu homem partiu, o Emídio visita-me de vez em quando, mais calmo, talvez envergonhado por ter ficado, sentindo-se culpado por coxear, por ter uma doença no joelho, o Emídio vem cá por vezes a seguir ao jantar, deixou de falar de África, já não diz que é inadmissível, talvez ache despropositado o que já não constitui novidade, de maneira que falávamos de outras coisas, de forma que recordávamos a Apúlia, conversávamos sobre o tempo, sobre livros e cinema, a minha filha, em roupão, arregalava os olhos para os filmes, para os anúncios, para os desenhos animados, o Emídio olhava-a e dizia, Que crescida que ela está, e eu e a Eduarda olhávamos também, esboçando o mesmo sorriso enlevado, até que o Emídio se levantava, apoiava o corpo que engordava às cadeiras e às mesas, dava-me um beijo, sorria, Até amanhã, pouco depois a Eduarda faria o mesmo, dali a nada eu poria a saca do pão no puxador da porta e trancar-me-ia, de mãos nos bolsos, olhando do hall a criança que seguia atentamente as imagens da televisão na curiosidade inquieta dos pardais.

Soube que o João Maria ia voltar quando já começava a desesperar com a falta de notícias do meu marido. Enquanto me dirigia ao aeroporto no carro da Eduarda, ia-me tentando lembrar do seu rosto, do castanho clarissimo do cabelo, da maneira aberta de rir, chovia e eu tentava lembrar-me, encostada às lágrimas do vidro, da voz pausada de João Maria, dos seus olhos serenos, da sua amizade indestrutível. Preparei-me para receber o João Maria como se ele fosse o único homem que partira, como se a espera tivesse acabado, como se fosse uma amálgama confusa de todos os nomes que conheço, e foi logo a seguir a termos entrado nas chegadas, enquanto despíamos as gabardinas e perguntávamos se o voo já tinha chegado que o vimos, a Eduarda chamou-o, João, eu não o reconheci logo, fiquei a avaliá-lo, uma farda que se aproximava, um rosto fugidio, umas olheiras profundas, uns ombros emagrecidos, deixámo-lo aproximar-se devagar com o coração a bater muito depressa, chegou ao pé de nós e tentou sorrir, um esgar triste como o dos palhaços pobres, a Eduarda abraçou-o e eu fiquei a vê-los abraçarem-se, lutando contra o assomo caudaloso das lágrimas, vi-os abraçarem-se e estranhei a inércia dele, os braços pendentes ao longo do corpo, e na extremidade dos braços as mangas apanhadas como as extremidades dos embrulhos, os braços estendidos ao longo do tronco e no fim nada, e depois nada, como se as mãos tivessem recolhido num recuo último, foi então que avancei, João, estás óptimo, e ele a saber que eu mentia, que estava longe de o achar óptimo, continuei a falar para não chorar, como se uma coisa impedisse a outra, e ele a saber que eu já notara a ausência de dedos.

Levámo-lo para minha casa porque ele não queria ver mais ninguém, a primeira coisa que disse foi, Deixei de servir, e os olhos adquiriram o incómodo aquoso da comoção, Já não presto, ajudei-o a tirar a gabardina, Tanto tempo, pensei, Tanto tempo sem te ver ou alguém igual a ti que já me convencera de que a guerra não existia, que a guerra não passava de um pesadelo de onde não conseguia sair, ouvi-o dizer muito depressa, Marta, o Pedro desapareceu numa picada, houve uma emboscada, ninguém sabe bem o que se passou, é melhor preparares-te para o pior, e eu, O quê?, como se estivesse numa aula e não tivesse percebido a explicação da professora, e eu, O que é que disseste?, como se as palavras formassem um estranho zumbido que me impedia de as compreender, O Pedro desapareceu, não se sabe se está vivo ou morto, e a mesma pressa nas frases, a mesma vergonha de sobreviver às catástrofes dos amigos, perguntei Tens fome?, perguntei Queres comer alguma coisa?, ele olhava em frente, sentado na cadeira em que o Pedro se sentava, em frente ao enorme olho cego da televisão desligada, olhava em frente e o queixo tremia-lhe enquanto tentava conter o choro que avançava, como os queixos dos velhos nos corredores dos asilos, a mesma solidão sem fim, a mesma mágoa de desterrado, João Maria olhava o nada e eu avançava para ele, sereia súbita feita de raiva e ternura, avançava a ninfa pela madeira empoeirada da sala e João Maria chorava, olhava em frente e chorava, e dir-se-ia que as mãos que já não tinha choravam também, lá onde estivessem, João Maria cruzara os braços sobre o peito e abanava o tronco descontroladamente, e debaixo dos seus ombros agora magros, debaixo do seu medo agora exposto, finalmente exposto, doridamente exposto, avançava a ninfa de súbitos cabelos loiros a cair em cascata sobre os ombros (é assim que se costuma dizer?), uma mulher vai na direcção de um homem que chora, por isso não chora a mulher, porque chora o homem e precisa dela, a sala alargava, abria-se devagar até onde a vista alcança, a mulher sorri o sorriso triste dos que já não conseguem chorar, levanta devagar a cabeça tombada do homem, ajoelha-se junto dele e leva a sua boca à boca dele, limpa-lhe as lágrimas com as mágicas compressas dos polegares, ele olha-a espantado mas não interessa que não sejas o homem que esperava, interessa apenas que voltaste, que sou portuguesa e voltaste, João Maria, que regressaste, Pedro, o meu corpo que há tanto espera é vosso, como as árvores se oferecem à fúria das tempestades, no centro da sala vazia uma mulher desaperta a blusa e sorri, os cabelos caem-lhe pelos ombros mas não são loiros, são negros da cor da noite que avança lá fora, que avança na Rua Pedro

Hispano cheia de motos e autocarros e urros de bêbedos, que avança como uma mancha sobre o céu de abóbada de África, uma mulher oferece as flores saudosas dos seios a um homem silencioso, beija-lhe o nariz, as pálpebras molhadas, abre-lhe a camisa num gesto aprendido às mães cuidadosas, deita-se devagar sobre um homem menino, numa sala vazia como uma praia de Dezembro, e a pouco e pouco, com muito custo, fui quebrando a resistência e fi-lo entrar em mim, deitei-me de costas no chão frio, agarrei-o com força pelos rins, beijei-lhe o peito, beijei-lhe o queixo, e as minhas pernas eram asas de morcego, desfraldadas à calmaria para que toda a noite entrasse nelas, a pouco e pouco foi-lhe chegando a respiração difícil, lutando contra a chegada irreprimível da erecção, voltaste João Maria, voltaste Pedro, estou à tua espera, há demasiado tempo à tua espera, entra, mete a chave na porta, entra todo como se eu fosse a minha casa, nenhuma chave na porta, estás onde, inundava-me o ombro com o sal macio das lágrimas, de rosto escondido no meu pescoço, de rosto virado para não me ver o sorriso, uma criança envergonhada que se quer esquecer que voltou, os braços sem mãos roçavam no tapete como remos desesperados, eu olhava-os e sorria e afagava-lhe a cabeça escondida, os cotos sangravam de encontro ao chão poeirento, incapazes de levantarem o corpo que baloiçava sobre a ilha impossível do meu ventre, vem, vem, entra e esquece-te que partiste, que partiste alguma vez, regressaste João Maria e não és senão o homem português que um dia partiu, regressaste como os cães que arranham as portas, não está certo, não está certo, não é possível, Pedro, que não queiras voltar, que prefiras continuar longe, longe dos meus braços há tanto tempo ausentes, não está certo que partas para sempre sem o cuidado de me avisares, de me pôr ao corrente, e no entanto sinto que voltaste, regressaste sem nunca teres ido, voltaste, sinto-te dentro de mim, muito mais magro, viras-me a cara para não te veres e as mãos que não tens, que já não tens, fecham-se de raiva e pedem-me que te largue, que te deixe em paz porque já não prestas, mas eu não te largo, como não largo o meu pai tão depois da sua partida para um qualquer sítio que desconheço, que não sei, meu deus, onde possa ficar, não te largo mesmo que não me olhes nos olhos, não te largo e sorrio porque não podes fugir, porque se te tentares erguer a extremidade decepada do teu braço resvala, escorrega, patina, até os pontos abrirem, até as feridas cederem, até sangrares, Pedro, como me fizeste sangrar naquele Verão, como me fazes sangrar sempre que abro a caixa do correio e te vejo, embrulhado em papel amarelo ou azul ou rosa, erguendo na minha direcção a órbita abandonada da tua letra.

Mas será que esta bicha nunca mais anda? As buzinas dos carros estalavam contra os néons que piscavam sem cessar, sucediam-se cabeças a espreitarem pelas janelas dos automóveis, os braços multiplicavam-se em gestos obscenos. Um motorista de táxi colou o punho ao cláxon, o som aumentava com os intermináveis segundos que se sucediam e ele pensou, É desta que fico surdo, é desta que tenho de ir ao focinho a alguém, mas em vez disso limitou-se a levar as mãos aos ouvidos, a fechar os olhos com força e foi quando se lembrou desta mesma posição, há muitos anos, quando o prenderam numa emboscada e o cabo Mendes agonizava no capim, no meio do sangue e da roupa rasgada, tentando desesperadamente alcançar com os dedos a perna que já não existia, que tinha dado lugar a uma ausência roxa, a buzina devassava o interior do carro, numa aguda persistência de estilete, e ele lembrou-se dos gritos roucos do Mendes, lembrou-se que foi nessa altura que se colocou nesta mesma posição de defesa e recusa, os olhos cerradíssimos como se nunca mais se fossem abrir, os punhos algemados de encontro à orelha para se impedir de ouvir os gritos que cortavam a noite, o cabo rodava no chão, à volta de si mesmo, esgadanhando o capim e a terra vermelha com os dedos que pouco a pouco desistiram, até adquirirem a imobilidade volátil das folhas secas.

Também, que porra de ideia, vir a Lisboa na época do Natal, que raio é que me passou pela cabeça, a longa fila de carros foi-se começando a mover devagar, os apitos foram diminuindo, o enorme êxodo de lata e pneus avançou por fim, lentamente, como se o alcatrão fosse uma pontezinha tímida, feita de corda e madeira podre, pensou Jantar num instante num snack qualquer e zás, fazer-me à estrada que se faz tarde, a cidade ia somando, à sua esquerda e à sua direita, rostos que se cruzavam sem realmente se verem, rostos que apenas viviam para as montras, cabeças que paravam, que avaliavam as variadíssimas gamas de produtos, Ainda por cima está a chover, Ainda por cima até a merda do tempo resolveu dar uma ajudinha para me lixar a paciência, para me embaciar os vidros e me escorregar a estrada, porra de dia para me lembrar do que não quero e me dói.

Quando eu era pequeno e chovia, gostava de tomar banho e ir a correr para o escritório onde ouvias música clássica folheando um dos teus incontáveis calhamaços de tumores e alergias esquisitas, quando eu era pequeno a mãe penteava-me no vosso quarto, em frente ao enorme espelho interior do armário, a mãe dava-me um nó meigo no cinto do roupão e mandava-me ir ter contigo, mandava-me descer as escadas e ir ter contigo enquanto ela vigiaria o jantar, eu entrava cuidadosamente no escritório e chovia, tinha habitualmente as cortinas abertas ao fim da tarde e os pingos sorriam-nos do lado de lá das vidraças, estavas habitualmente sentado e habitualmente fumavas, eu entrava e sentava-me também, e o meu cabelo molhado brilhava de encontro ao fumo do teu cachimbo, eu sentava-me e ficava a olhar-te e as minhas pernas que ainda não chegavam ao chão baloiçavam, e com o tempo, sem disso me aperceber, fui-te imitando os gestos, fui-te decorando os gostos musicais, fui-me convencendo que também percebia muito de doenças e foi nessa altura, percebes, que decidi ser médico, para assim te perceber, para assim me aproximar de ti porque todos os outros caminhos me pareciam vedados, às vezes queria perguntar-te que música estava a tocar e as palavras não saíam, às vezes apetecia-me perguntar o que é que estavas a ler e a boca não se abria, de maneira que ficava, recorda-te e percebe, de mãos entre os joelhos esperando que notasses que estava penteado para ti, esperando que reparasses que eu e a mãe te amávamos através da limpeza do meu cabelo e das minhas orelhas, de maneira que te admirava em silêncio, por entre fumo de cachimbo e acordes de Bach, que era bem a única maneira de te amar.

– Pedro, vamos aí jantar a qualquer sítio.

Não te amo, não te amo, não te amo, que faço eu ainda contigo, que me empurra ainda para ti.

– Deve estar tudo cheio. O melhor é arrancarmos para o Porto.

Nem ouviu os protestos da mulher, dir-se-ia que nem sabia de uma outra presença dentro do carro.

– Merda! Se julgas que aguento uma viagem de quatro horas sem comer, estás muito enganado! Sempre as mesmas manias, sempre a mesma porra!

– A esta hora não arranjamos lugar em sítio nenhum, comemos uns pregos no caminho.

– Mas a sério que não vais parar?! Pedro, isto ultrapassa

Lembro-me que os teus cabelos cheiravam muito bem. A sério, se me perguntassem o que mais me lembra o teu nome, eu diria que um misto de pinheiro e terra fresca, eu responderia que os teus cabelos caídos sobre os ombros, sobre as costas, sobre o meu peito se te sentavas em cima do meu sexo erguido por ti e para ti, as tuas pernas que me apertavam dentro de ti, digo que me lembro que tinhas uns olhos grandes e assustados de bicho frágil, respondo que me lembro, porra, que me amavas.

– todos os limites! Tu estás doido e eu fico doida se te continuo a aturar!

O movimento foi ficando para trás, os limpa-pára-brisas diziam-lhe adeus do lado de fora do vidro, a mulher empurrou furiosamente o botão do isqueiro, e enquanto esperava abanava a perna e observava as casas miseráveis dos negros do Campo Grande, a roupa rota pendurada nas cordas, as cordas penduradas nas janelas, as janelas penduradas nos olhos que espreitavam por entre as falhas da madeira, talvez ainda espantados por verem tantos carros, tão pouca vegetação, Devem-se sentir aqui como eu me sentia lá, eternamente à procura de um cordão umbilical que justificasse a minha presença, mas nada, nada, só mato e olhos pequeninos e vermelhos que nos vigiavam dia e noite da palidez eriçada do capim, finalmente o isqueiro fez clec, levou a brasa redonda ao cigarro que lhe tremia nos lábios, um assobio enevoado escapou-lhe da boca, continuou a olhar pela janela.

– Agora tenho a certeza. Tu és mesmo doido.

Pai, está a chover e se não tenho cuidado estampo-me num instante, o carro desliza sem aderir ao chão, a água varre a estrada e as árvores que a circundam, abri um pouco a janela, de maneira que alguns pingos entram de vez em quando para me molhar a cara e o colarinho da camisa, sim, vou em camisa porque inexplicavelmente não tenho frio, a estrada é apenas um enorme túnel negro dentro da noite negra e apenas os faróis me asseguram ser uma espécie de mineiro intrépido, buscando de lanterna em punho o diamante de uma cidade que não chega nunca. Porque de repente a minha cidade se resumiu a uma espécie de salvação retardada, de repente, pai, julgo ter encontrado a solução tantas vezes adiada, a eureka final que me vai finalmente arrancar à minha angústia, ao meu pânico, à minha ânsia de regressar.

Pai, quando eu me casei pensava que a verdadeira vida ainda estava para começar, encarava as coisas como um treino, uma inevitável preparação. Pai, quando fui para Angola pensava que era apenas mais um adiamento na minha vida, que em qualquer ponto do futuro poderia recomeçar como deve ser, com todas as peças no lugar. Quando me prenderam, pai, pensava todos os dias se alguma vez me safaria daquilo, porque tinha a minha vida para viver e não me podia atrasar muito. Quando me apanharam e me prenderam, e todos os dias a morte me visitava em sonhos, só via à minha frente pretos raivosos, pretos ansiosos por verem a cor do nosso sangue, por nos verem de borco no chão, ajoelhando junto aos seus pés escuros a nossa humilhação de conquistadores derrotados. E foi então, pai, que me dei conta de que esses momentos eram já parte da minha vida, da vida para a qual me vinha preparando com grande afinco, dei-me conta, Alberto, que me poderia restar muito pouco para viver.

Foi por essa altura, pai, quando nos deixavam tomar banho uma vez por semana, que me decidi a lutar com unhas e dentes para não morrer, para não fraquejar como fraquejei em tantos outros momentos da minha vida, da verdadeira e da ambicionada, como fraquejei ao nunca te dizer que gostava de ti, ao nunca te confessar o quanto gostava de descer ao teu escritório e ficar a observar-te sossegadamente da cadeira em frente, apenas isso, ficar a olhar-te ainda que não desses por mim, ou desses mas fizesses por não me dar importância, queria escapar para remediar o ter falhado em tanta coisa, ter falhado enquanto pai, enquanto marido, como filho ou amigo, e doía-me, acredita, pai, ser tudo isso com tanta força dentro de mim mas incapaz de o demonstrar, de o dar a entender, passei uma vida a esperar que me adivinhassem os gestos para não ter que os fazer, que me suspeitassem os desejos para mos satisfazerem antes de ter que os pedir, por isso me apercebo que falhei, que de alguma forma cheguei atrasado, por isso penso, pai, que está na altura de regressar, será tarde, irei a tempo, a noite avança, alastra de mim até se perder de vista, a Paula dorme ao meu lado, a bonita cabeça encostada ao vidro, incomodamente sacudida pelas segundas e terceiras que sou obrigado a engrenar, descalçou os sapatos que a deviam apertar, enrosca-se no blusão para se tentar aquecer, levanta os joelhos para cima do banco, dorme. E no entanto, pai, não te rias se me estiveres a ouvir, gosto dela. Juro-te, gosto dela porque cheguei à conclusão de que não sou capaz de a amar, gosto que ela me insulte porque o mereço, não pelas razões que ela o faz mas mereço-o mesmo assim, habituei-me à maneira desordenada de não nos entendermos, da maneira como discutimos sem chegar a conclusão alguma, gosto da sua cabeça bonita, da sua boca grande, da sua prepotência de colegial, da maneira como me domina quando fazemos amor, da sua insolência, da sua falta de oportunidade. Gosto que ela seja um castigo para as faltas que fui acumulando, uma espécie de carcereiro inconsciente do prisioneiro que nunca deixei de ser. Gosto que ela seja uma amálgama confusa do que admiro e detesto, faz-me bem que seja assim agressiva, assim malcriada, prepotente, despropositada, boa como o milho.

Chove, pai, e chateia-me só ter isto para te dizer agora que percebi que me fazes falta, agora que me apetecia que fosses novamente vivo, nem que fosse por meia hora, para te falar dos meus medos, para te contar tanta coisa que me aconteceu desde que partiste, agarrado ao berço da minha filha, chove e chover é neste momento a única realidade que sei, não adianta pintá-la com outras cores, não adianta adjectivá-la, chove, os riscos intermitentes pintados no alcatrão formam um só risco compridíssimo à velocidade a que vou na minha ânsia de voltar, a que a Paula vai sem o saber, sem sequer o suspeitar, entregue uma vez mais aos sonhos que gostaria de perceber, de perscrutar, as antigas memórias que me esconde, como um diário de adolescente, sonhos de adolescente serão, nada mais natural, há tão pouco tempo o era ela, há tão pouco tempo o era eu, e daí não, e daí talvez nunca tenha tido tempo para o ser, ocupado como estava em preparar a minha vida, ocupado a fazer filhas e a casar, a estudar e a ir para a tropa. Começo daqui a pouco, costumava pensar e permitia assim que os dias passassem por mim, daqui a pouco, daqui a nada, amanhã será diferente, amanhã acordo e o dia nasceu extraordinariamente azul, acordo e sou um médico afamado, sou um marido atencioso, um filho extremoso, amanhã acordo, sorrio enquanto me espreguiço com gosto e pode ser pai, pode ser, sou rico, a minha mulher ama-me e nunca me traiu, jamais me trairá, sou rico, a minha família é feliz porque não lhe falto com nada, porque não lhes dou problemas, a minha filha farta-se de falar comigo, confessa-me todos os seus receios, as suas ambições, confessa-me, corando, as suas paixões, eu olho-a com ternura e sorrio maliciosamente, fumo charuto enquanto a minha mulher prepara o jantar, leio, interesso-me, sou culto e as pessoas respeitam-me, os doentes respeitam-me, os vizinhos respeitam-me, o tipo da tabacaria em frente rasga um sorriso parvo até às orelhas se condescendo em ir lá comprar um maço de cigarros, comprar o jornal, ao domingo ando o dia todo de pantufas pela casa, sento-me a ver televisão e o meu olhar crítico não deixa escapar nada, a minha perspicácia caça à légua as deficiências dos programas, a minha inteligência disserta sobre o filme de cowboys, explico à minha filha, com ar divertido e sabichão, que aquilo é tudo a fingir, que é tudo fita, que o que parece montanhas são na verdade cenários de papelão e de certeza que amanhã, na escola, ela arrasa os parvos dos amigos que perdem tempo a ver essas idiotices.

Começo onde me esqueci de começar, se for possível, começo no princípio de tudo, no princípio do tempo em que nem tempo havia e juro-te, pai, que vou fazer tudo para absorver bem os minutos, por beber todos os segundos, começar onde me esqueci de começar, por isso envelheço, por isso me faltam as forças para andar para a frente, por isso arrasto a relação com a mulher que dorme ao meu lado e me baba o vidro, por isso me encosto a ela a dizer-lhe, Não me deixes sozinho, como se lhe desse a entender, Só te tenho a ti, e é verdade, porra, deixei de ter fosse quem fosse, afastei-me dos amigos, afastei-me dos poisos habituais, afastei-me do hospital, mandei a minha mulher à merda assim que soube que me tinha enfeitado, quando soube que foi incapaz de esperar por mim, que acreditou que eu tinha morrido quando qualquer coisa, foda-se, qualquer arrepio de nada dentro do peito lhe devia ter dito que eu estava vivo, que poderia voltar a qualquer momento, porquê, pai, ainda hoje me pergunto porquê, penso que a morte devia demorar mais tempo a florir dentro de um coração que a recusa, pergunto-me hoje como me perguntei há dez anos (Já?), quando recebi a notícia, sentado numa esplanada de Luanda esperando o regresso, um envelope com a letra do meu irmão Rui, uma carta curta, concisa, objectiva, Achei melhor prevenir-te, não percebi à primeira, tive que a ler outra vez, fazia calor e qualquer movimento me fazia suar, qualquer gesto me inundava a camisa, os sovacos encharcados, Estou farto desta merda, deste quente que penetra os ossos, que esfacela a carne, que mói sem piedade, que chateia. Se deus quiser amanhã estou no Porto e estará a chover, amanhã faz frio e uma chicotada castiga-me os braços nus, amanhã chego e a minha mulher espera-me com a minha filha, a imagem que fui alimentando todos os dias que passei nesta terra maldita, procurando toda a força para me fazer resistir nesse inatingível fresco, para me obrigar a voltar em vez de desistir e morrer de cansaço, Achei melhor prevenir-te, achei melhor prevenir-te, a Marta, o João Maria, a Marta, a tua mulher, prevenir-te, parece que te julgavam perdido para sempre, para sempre desaparecido, morto, enterrado, carcomido, a tua mulher, o João Maria, Ainda bem que estás vivo, que afinal nada te aconteceu, a mãe andava que nem podes supor, julgavam-te morto, toda a gente te julgava morto, devorado por vermes numa vala comum, imaginavam o teu crânio no meio de mil outros crânios, rachado ao meio, apedrejado por esses pretos rascas, os teus braços inertes sangrados de torturas, das chicotadas, das catanas em brasa, a tua mulher, a tua mulher, a tua mulher já não existe, deu lugar a uma mulher magra e acabada que se entrega ao primeiro conhecido que regressa daí, a tua mulher deu agora em amparar manetas pela rua, deu em ir ao cinema com eles, em abraçá-los se eles ameaçam começar a chorar, e o cúmulo, nem sabes, é que continua a dizer que te ama, que nunca deixou de te amar, vivendo a tua ausência como se não acreditasse nela, achei melhor prevenir-te não viesses a saber por portas travessas, não viesses na viagem todo pimpão, a imaginar o cenário que deixaste, imaginando que chegaria e seria abraçado pela minha filha, pela tua neta, Alberto, a neta que não quiseste conhecer e sobre quem te debruçaste para morrer, a filha de quem tenho saudades se me sento para jantar e a ausência total de ruído me confere a enorme implacável solidão dos faróis que alumiam as barras.

Fazia nessa altura um calor proporcional ao gelo que agora me enrijece os lábios, nesta sombria noite de Dezembro, esta noite em que caminho sem sono, sabendo que nunca mais terei sono, esta noite que sorri à minha frente, achei melhor prevenir-te, pai, de que quero falar contigo e por isso acho bem que apareças, que te dês a ver, que não me deixes aqui a falar para o boneco, a falar sabendo que ninguém me ouve, ao meu lado uma mulher dorme o sono solto e completo das crianças, achei melhor prevenir-te, é natal e vou regressar, acho bom que saibas que me fazes falta, agora que pensava que não me farias, prevenir-te como me preveniram que a minha mulher me tinha enganado, que a minha esposa era uma adúltera, que se tinha metido, imagina, debaixo do meu maior amigo. E foi aí que me apercebi, imóvel, sentado em frente a um copo de cerveja morna, que a vida (a tal verdadeira vida) não passa de uma imitação foleira dos folhetins de segunda, das telenovelas, a vida não é mais que uma rocambolesca comédia de que nos riríamos à gargalhada se não estivéssemos tão ocupados a vivê-la, a vida, foda-se, não é senão uma multiplicação de medos e angústias por milhões de pessoas, de maneira, pai, que dei comigo a pensar, antes mesmo de sofrer, que já tinha visto a mesma situação em qualquer sítio, que já tinha lido algo semelhante. E de repente, olha que porra, eis-me personagem de um romance de mau gosto, eis-me a sofrer por problemas que sempre minimizei nos outros, nas vidas dos outros, nos dramas de pacotilha dos outros, eis-me, pai, sentado numa cadeira de plástico em frente a uma cerveja que aquece sob o sol de África, pensando se hei-de acreditar ou não no que acabo de ler, nessa absurda denúncia que me esforço por digerir, porque não encontrava justificação para me apunhalarem com dez mil quilómetros de distância, É mentira, pensei enquanto levava a espuma à boca, Estão a brincar comigo e esperam com certeza que me ria, então porquê este sufoco nas veias, porquê a vontade súbita de estrangular alguém, É mentira, porra, tem de ser mentira, é demasiadamente ridículo para ser verdade, ultrapassa todas as barreiras do mau gosto, e no entanto, pai, no entanto, lembro-me de embarcar com a cabeça num turbilhão, a repetir como um autista Não pode ser mas é, não pode ser mas é, não pode ser, a minha mulher traiu-me (Porquê?), a minha mulher já não me grama, esperou pacientemente que eu partisse, ironicamente encharcada em lágrimas, beijando-me falsamente as faces magras, para logo a seguir correr para casa, adormecer à pressa a nossa filha, correr para o meu quarto onde um qualquer amigo meu a espera, cofiando os pêlos do peito com ar de malandro, ela despe-se de imediato, aposto, se calhar até tem mais pressa do que ele, e isto tudo na cabeça, à roda, vertiginosamente, uma enjoante montanha-russa de angústia, de imaginação cavalgante, mas é curioso, pai, que quando me queria prender, masoquista, em pormenores da profanação, em detalhes de posições, palavras sussurradas e toda essa merda, um pano qualquer, uma cortina descia, retemperadora, sobre o meu cérebro sofrido. E então, a única coisa que conseguia pressentir, olhando pela janela minúscula do avião, era a minha mulher deitada com alguém ao lado, e em frente aos dois, em frente a ela, o meu retrato na cómoda, aquele que lhe mandei, em que sorrio encostado a uma berliet, e a sanzala estende-se para trás das minhas costas, e lá no fundo, bem lá no fundo, lembro-me que se vê nesse retrato, as palhotas do quimbo e cães famélicos a olharem-me surpreendidos, a minha mulher olha para mim, deitada na cama, eu olho-a também, com os meus olhos engessados de papel, e o que ela não sabia, pai, é que não se pode confiar nos olhos das fotografias, que nos seguem impiedosamente de qualquer posição, desprezando-nos profundamente na sua inquietante imobilidade.

Amanhã, se deus e o despertador quiserem, vou acordar cedo. Sou capaz de ir ver as montras, de passear um bocado, de sentir o aroma intenso do mar. Amanhã sou capaz de me reconciliar com a manhã, há quanto tempo a evito, há quanto tempo fujo dela, ponho a almofada em cima da nuca para não a ver chegar, ao seu regresso que tudo rompe e (diz-se) tudo remedeia. Há demasiado tempo, há tanto que a memória se atrapalha, que a memória se confunde e desvanece, como um pedaço de barro por moldar, amanhã é natal, é noite de natal e eu irei de manhã reconciliar-me com as montras, observar atentamente a sua futilidade iluminada, comprar um perfume qualquer, uma caneta bonita, um casaco que me fique bem, preciso de reaprender a gostar de mim. Amanhã aliás hoje é noite de natal, sinto falta de ouvir sinos, de ver neve, de pôr o sapatinho junto à lareira, sinto falta de todas as pequenas merdices que me encarreguei de abolir, das pequenas coisas que me fui proibindo com medo de parecer ridículo, com pavor de parecer ultrapassado, caquéctico, um porco fascista.

Quando te foste embora, eu tinha quantos?, vinte? vinte e um anos?, quando te foste embora não estava nada à espera que fosses, de forma que me escondi durante tantos anos, a fingir que não existias, convenci-me de que não morreste pela simples razão de nunca teres existido, a tua morte, durante anos, abalou-me tanto como a chatice de um vaso que se desequilibra da instabilidade do armário e se estatela no chão, cuspindo pedaços de loiça em leque, a ti, como à merda do vaso, era só apanhar os pedaços, era só aspirar para que ninguém se pudesse cortar e pronto, despejar os cacos no lixo e pronto, a conversa continua onde tinha sido interrompida, o jantar ou o almoço continuam no ponto em que os interrompeste com a tua queda trôpega e incómoda e ninguém mais se lembra de ti porque não eras, porque toda a gente se marimba para os vasos, amanhã compra-se outro na feira e não se fala mais nisso.

Andei satisfeito durante anos porque afinal nunca tinhas existido, nunca tinhas sido pai, ou marido, ou avô, ou o que quer que fosse, eras uma folha em branco, a fotografia de um rosto com um traço preto a cobrir-lhe os olhos, eras apenas o não seres. Mas amanhã aliás hoje vou pensar em ti, porque de repente me ocorreu que adoravas as manhãs, recordei-me que mesmo aos domingos gostavas de te levantar cedo, gostavas de descer as escadas sem fazer ruído, de abrir a porta da cozinha que dá para o jardim, e ficares por ali, de mãos nos bolsos, a saudar a manhã que despontava para lá dos muros do quintal.

Não sei como é que descobriste que eu escrevia, sempre tive isso como um segredo íntimo, sempre me julguei sozinho nessa tortura íntima, nunca to disse, não me lembro sequer de to dar a suspeitar, então como, talvez o soubesses porque também escrevias, às tantas por também te fechares tardes ou noites a fio no teu quarto, em frente a um caderno de linhas, num estranho monólogo em que as palavras se levantavam a custo, como o Bambi a escorregar na neve, o mesmo desequilíbrio incerto, palavras que patinavam na aridez do papel até se encontrarem umas com as outras e timidamente se entrelaçarem. Soubeste que escrevia porque era raro falar contigo, adivinhaste-o pela minha permanente ausência de diálogo, pela minha relutância em te olhar nos olhos. Nunca soube que escrevias porque estava convencido ser preciso ser igual a mim para o fazer, sempre pensei ser preciso ter um ar misterioso, uma instabilidade de animal acossado, sempre te achei demasiado seguro, demasiado pétreo, demasiado ocupado para perderes tempo com essas futilidades, e agora, já viste, depois de teres morrido, de verdade e dentro de mim, venho a saber que desabafavas, que tinhas pensamentos que só a ti confessavas, que de vez em quando te fechavas no escritório, sob a recriminação despeitada dos tratados de anatomia, pegavas na caneta, pegavas no papel e começavas, de vez em quando ninguém sabia onde paravas, Está no quarto, Está na casa de banho, ninguém sabia que te dirigias, sei lá, às estrelas ou a uma musa qualquer, tu a sonhares fantasias que nunca suspeitei criarem raiz por trás do teu olhar severo. Escrevias, vim a sabê-lo depois de teres morrido, quando já tinhas palmos de terra por cima da caveira que deve apodrecer numa lentidão de vermes e minhocas que rasgam a madeira para irem ter contigo, numa voracidade que não se compadece do homem ilustre que foste, que se está nas tintas para o médico respeitado que andou cá por cima, quando as tuas mãos ainda se moviam e acendiam o cachimbo em movimentos rituais que aprendi a considerar o selo da tua presença e do meu medo.

Eu escrevia e os meus irmãos riam-se dessa fraqueza, eu escrevia e aos meus irmãos, bastante mais novos do que eu, assustava tamanha excentricidade, até que lhes deu jeito que eu desse uns toques nessa coisa de rabiscar palavras num papel, os meus irmãos, parece-me, cresceram demasiado depressa, talvez me pareça porque nunca lhes liguei muito, habituei-me à sua presença pequenina pelos corredores da casa, os seus gritos de criança que me perturbavam quando estudava, se tinha no dia seguinte um ponto de matemática, de português ou físico-químicas, os braços e as pernas dos meus irmãos alongaram-se sem que eu desse por isso, até ao dia em que o Marcelo falava na televisão e o meu irmão Rui, sentado ao meu lado a beber uma cerveja que lhe desconhecia nos hábitos, declarou enfaticamente Facho de merda que nunca mais morres. E foi nesse inesperado momento, percebes, que me apercebi finalmente de que os teus outros filhos cresciam, que me convenci que os meus irmãos existiam e cresciam sem que o notasse, o Marcelo abria e fechava a boca como os peixes doentes dos aquários mas eu deixara de o ouvir, olhava para o lado, ainda surpreso, apercebi-me, verdadeiramente comovido, de que o Rui já não usava fraldas e que não seria preciso, essa noite, enfiar-lhe a comida pela boca através de um cansativo enredo de aviões e popós que querem entrar para a garagem, reparei nas botas pousadas em cima da mesinha de madeira de que a mãe tanto gosta, colocada entre o sofá e a televisão para os cinzeiros, para os copos de whisky, para as revistas, e quase senti medo ao ver-lhe a expressão, a mão crispada estrangulava a caneca de vidro, os olhos disparavam um brilho estranho, perguntei-me Que sabes tu disto? Que percebes tu de política, que queres dizer com isso?, levantou-se de um salto, pousou a cerveja que soluçou um espirro branco de espuma, bateu com a porta, saiu, e foi então, compreendes, Alberto, que reformulei a pergunta, E eu?, Que sei eu disto? Que sei ou quero saber do que se passa no meu país?, percebi que passara demasiado tempo enclausurado a estudar, demasiado tempo fechado, recluso, sem saber de nada e não querer saber de nada que não fosse sangue ou infecções, sem ligar a nada que não me falasse de transplantes ou tumores, apenas com espaço para, como tu, de quando em vez, desviar as pálpebras cansadas dos calhamaços e rasgar uma folha branca do bloco, escrever frases soltas a que só depois conferia sentido, se fosse caso de o haver, desenhar palavras no papel que queria só minhas e ao mesmo tempo lidas por todos, como se fosse incapaz de falar e me fosse vital que me lessem, uma maneira de dizer Existo, se não fosse eu estes riscos não existiriam, não interessa se dizem algo que valha a pena ser dito, apenas que existem, que só existem porque eu existo, que dependem totalmente de mim, e por isso escrevia, pai, para me convencer responsável por algo, para me sentir dono do que em mim habita e se recusa a existir.

Nessa mesma semana, o teu filho Rui telefonou-me para Pedro Hispano, apanhou-me a meio do jantar, levantei o auscultador ainda a mastigar um pedaço de carne, um pouco de arroz, Pedro, ouvi, Eu e uns amigos vamos fundar um jornal, uma coisita pequena já se vê, mas é uma maneira de provarmos que estamos descontentes, que estamos dispostos a lutar, gostava de contar com a tua colaboração, sei que gostas de escrever, sei que o fascismo não te agrada, que tal juntares as duas coisas?, e eu para ali suspenso, de guardanapo de papel na mão, esquecido de mastigar, esquecido de escutar, com um zunido estranho a percorrer-me o vazio do cérebro, é desta, vou deixar de ser médico, vou dedicar-me à escrita, daqui por uns meses publico o meu primeiro romance e os críticos erguem-se, aplaudindo freneticamente, as edições sucedem-se, escrevem-se coisas eloquentes nos jornais, compareço a debates, sou entrevistado na rádio, Estás interessado?, e eu sem palavras para responder, suspenso a meio da sala por uma comoção arrepiada, a pensar que estavam a mangar comigo, a pensar se entenderiam bem o que significava aquilo para os meus anseios secretos, para os meus sonhos grandiloquentes.

Foi assim que descobri que eu e os meus irmãos não tínhamos o mesmo sangue, que aquilo que me percorria os músculos, palpitando depressa sob a pele, não era talvez o mesmo que lhes animava a respiração, cheguei a escrever umas coisas para o jornal mas aquilo não se vendia, cheguei a arrebatar uns textos, uns poemas, mas eram pouco agressivos, tinham pouca garra, as frases não terminavam com ponto de exclamação, esquecia-me de falar do marxismo, do grande exemplo que foi Lenine, da sua luta sem quartel, esqueci-me de estender a caneta na direcção dos fachos, como uma espada redentora, dos fachos, dos ricos, dos burgueses, dos banqueiros, esses porcos, esses exploradores de merda, é matá-los, espezinhá-los, entrar-lhes pelas casas dentro e queimar-lhes os quadros, rasgar-lhes à foice os cortinados de veludo, empalar no terraço o senhor doutor ou o senhor engenheiro, mijar-lhes no jardim, fazendo pontaria às túlipas, e eu a querer falar de mim, és capaz de perceber?, eu a querer dar-me a conhecer, a querer que me reconhecessem o talento que julgava ter, eu a cagar-me para os fascistas e para a gloriosa marcha final do socialismo, a achá-los, a todos, igualmente maus, igualmente raivosos e cegos, Que sei eu do meu país?, Que sei ou quero saber de um povo que não sabe ler, que agita bandeirinhas da nação quando o Thomaz inaugura uma ponte ou um hospital regional, que sei do que não vejo, do que não sinto na pele, do que não me faz mossa directa. A pouco e pouco fui deixando de escrever, de me importar com isso, a pouco e pouco estava já em Angola, as árvores dispersavam-se na sanzala, como se estivessem zangadas, lentamente a cerveja e o bagaço foram substituindo o tesão da escrita, o medo e o tédio penetravam, escorregadios como sanguessugas, por todos os poros do peito, abertos ao calor e ao cacimbo, o meu irmão continuava a escrever-me, Foge daí, não faças o jogo deles, não mates o teu irmão africano, eu levantava os olhos da carta e mirava os soldados que se encolhiam à sombra dos barracões, procurando o fresco impossível, e pensava O meu irmão africano ainda esta noite me obrigou a ficar a pé, serrando pernas e braços que as suas traquinices de bom samaritano esborracharam, colocando estrategicamente umas quantas panelas que explodem quando se lhes passa por cima, no longínquo caminho para o Luso, o meu irmão africano não o vejo, adivinho-lhe apenas o brilho de ódio em cima das árvores, atrás dos arbustos, deitado no capim, o meu irmão africano está-se a cagar para a saúde do seu irmão português, dispara sobre ele, esconde-se, até que o ladino lusitano dispara também, ocultando-se numa improvisada trincheira de troncos nascidos da vermelhidão da terra, despoletando pequeninos ananases que rebentam quando caem, o irmão pretinho ri-se da audácia do irmão branquinho, arrastando o que resta das pernas com o que resta dos braços, sorrindo as gengivas enquanto os dentes se espalham no capim como os ovos de páscoa no quintal, os negrinhos ouvem catrapum junto à cabeça e riem, lá está o maninho português a fazer asneiras, são mesmo danados, o trabalhão que agora vai dar encontrar os miolos, os olhos, o nariz, quem sabe se ali, debaixo daquele pé que ainda há pouco tinha dedos, quem sabe se mais para a frente, junto daquela espingarda caída, o irmão português solta gargalhadas, não tem medo, faz isto por prazer, por desporto, sorri de cigarro ao canto da boca, joga em casa, Angola é nossa, Angola é nossa, não tem medo, não tem, que novas feitiçarias estará a preparar o maninho preto que há tanto tempo não se ouve nenhum ruído?

Alberto, eu abria as cartas dos teus filhos, via os selos franceses e pensava, Onde escreveste isto? No Café De La Paix, no Lutèce, em Montparnasse, no intervalo entre duas putas de St-Denis, onde o escreveste, explica-me para te perdoar, faz-me compreender que possas dizer o que dizes, escreveste-o numa esplanada de St-Michel, escreveste-o à pressa, estavas atrasado para o cinema, para o teatro, para a ópera, estavas atrasado, a tua companheira de jeans coçados e camisolão largo esperava-te, impaciente, agitando os longos cabelos como crinas inquietas e bonitas, bonitas, muito bonitas, aposto que aí é tudo bonito, tudo é incomensuravelmente belo, fresco, leve, suave como os after-shaves, aposto que toda a gente sorri nas ruas, que todos se cumprimentam, que as roupas são um espectáculo, que as há em todas as cores e feitios, que há carros, que há boulevards, que até as putas parecem rainhas, arrastando o manto de arminho pelo mármore dos passeios, burro sou eu em não ter ido contigo, fui estúpido em ter permitido que me mandassem para aqui, onde é tudo tão sujo, tudo tão desleixado, até os coronéis cheiram a chulé e a suor quando nos sentamos para jantar, em silêncio, observados com espanto pelos incontáveis ruídos da mata. Desculpa lá não ter ido contigo mas é que não me deram tempo de escolher, ainda eu estava hesitante perante hipótese tão tentadora e já me tinham enfiado num barco, já me tinham vestido uma farda, és médico e precisamos de médicos, és homem e precisamos de homens, os que temos mandado gastam-se num instante, mandam-nos passados meses estendidos ao comprido, preguiçosos, dentro de camisas de zinco, de linda medalha identificativa ao pescoço.

Precisamos de ti, e de ti e de ti, não nos falhem, não nos desapontem, vistam lá as farditas, ficam-vos a matar, matar terá sido uma força de expressão, assentam-vos como uma luva, está melhor assim? Não nos falhem, embarquem, vão ver que beleza as praias, que mimo o clima, que tentação as mulatinhas, seus sortudos, seus mijões, nós para aqui a trabalhar para o vosso bem e vocês a virarem-nos a cara, e vocês a fugirem para o estrangeiro, a escreverem porcarias nas paredes, seus foliões, aquilo é que vai ser gozar, estou mesmo a ver o trabalhão para vos fazer voltar, gordos, bem-dispostos, de engraçado chapéu colonial na cabeça, enlaçando pela cintura uma preta ou um rancho delas.

Eu abria as cartas dos teus filhos, Alberto, abria os seus gritos de alerta, a sua mensagem barata, e dizia Foda-se, lia distraidamente a carta, encostava a cabeça à parede da messe, as formigas desfilavam num carreiro interminável junto aos meus pés, por vezes conseguia sorrir e murmurava Foda-se de mim para mim, pensava É estranho, nunca ouvi nenhum soldado citar Mao-Tse-Tung, devo andar distraído mas ainda não vi nenhum cabo a consultar cartilhas de capa vermelha, refugiado nas traseiras da cozinha, as únicas frases que ouço são Estou farto, Quero ir embora, as únicas balbuciadas frases são Estou farto farto farto, não pertenço aqui, não sou daqui, quero que tudo isto se foda, não ganho nada com esta merda a não ser fantasmas que me assaltam o sono, sombras de todos os homens que matei e vi morrer e que não consigo calar dentro de mim, homens que me estendem o dedo, deitados por terra, sangrando das orelhas e da boca, olhando-me antes de se apagarem por fim, fitando-me de olhos baços cada vez mais longínquos, de olhos baços cada vez menos olhos.

Daqui a nada o dia começará a clarear, abrirá os braços longos sobre as sombras e expulsará a noite, daqui a nada fecharei a janela, a madrugada despertará em mim o frio que ainda não sinto, os arrepios chegarão inevitavelmente, percorrer-me-ão as costas como unhas atrevidas de mulher, daqui a pouco, sei-o, as pálpebras vão começar a piscar mais depressa tardando em adaptar-se à luminosidade em lâmina da manhã, a Paula dorme ao meu lado, já não sei há quanto tempo ando para aqui, agarrado ao leme do volante à laia de um velho e fatigado lobo-do-mar, tenho uma hirsuta barba branca, um boné azul, uma camisola de gola alta de âncora bordada ao peito, navego e o meu carro é o bote impossível de um naufrágio sem remédio, sem salvação, respiro fundo e do alcatrão molhado desprende-se um forte cheiro a algas, os estilhaços das ondas salpicam-me a cara, a Paula dorme ao meu lado, dorme ainda, ao fim e ao cabo que restará ainda para te contar, agora que decidiste abandonar-me de vez, agora que finalmente me morreste dentro das tripas, contar-te-ei que afinal não fui o médico que desejaste, que nunca fui o escritor que desejei, far-te-ei notar que nunca me libertei destes pólos que me estrangulam, que me obrigam a repensar tudo, nunca fui um bom médico, nunca escrevi nada, nunca fui pai, nunca fui filho, sempre fui mau marido, nunca agradei a ninguém, sobretudo a mim mesmo, sempre me arrastei entre o que sonhei e o que nunca fiz, entre o que palpita cá dentro e nunca palpitou cá fora, estou de novo em África ou já regressei, sou médico ou sou escritor, sou filho ou pai, deixei de ter lugar, deixei de encaixar, reparei com mágoa que na minha ausência as coisas rolaram como se não existisse, que tudo prosseguiu o seu ritmo normal, percebo, magoado, que se tivesse ficado talvez a minha mulher e o meu melhor amigo não me tivessem enganado, quase me apetece rir, que falta de gosto, que kitsch, que batido, que lugar-comum do caraças, penso nisso e só não choro porque rio, porque dou comigo a gargalhar, cambaleando na direcção do quarto de garrafa de vodka na mão, tentando não fazer barulho e acabando por fazer o triplo quando finalmente me estatelo no soalho, num escarcéu de vidros, de portas de armários a bater, de um corpo que tomba, desamparado, adormecido por uma dor sem igual, estou a chegar, daqui a pouco começa o troço final da auto-estrada, daqui a nada o caminho ilumina-se, as tabuletas sucedem-se e multiplicam-se, convidativas e reconfortantes, com um intenso cheiro a lar, daqui a pouco chego, não ao Porto mas a mim, decidi-me, vou voltar, vou regressar o regresso que há dez anos adio, vou voltar para o que me dói ter abandonado, porque sabes, pai, à medida que o vento me corta o vidro e a cara, convenço-me de que amo a minha mulher, de que sempre a amei, e mais, que ela também me ama, que nunca deixou de esperar por mim, que a casa conserva o meu cheiro em alguns cantos, ainda cheira ao meu medo e ao meu silêncio, a Paula dorme, a estrada prolonga-se monotonamente e a minha mulher ama-me, ama-me, andei tanto e tanto tempo para chegar a esta disparatada conclusão, para regressar a este mesmo ponto, como se tivesse sempre caminhado em círculo, amo-a e África nunca existiu, ou existiu e aprendi a viver com ela, com as suas recordações, da mesma maneira que a minha casa aprendeu a viver com o meu cheiro e com a minha fugidia presença distraída, como a minha filha aprendeu a crescer sem pai, a minha mulher estava farta de estar sozinha, o João Maria estava farto de estar sozinho, o tempo apanhou-nos, controlou-nos, manietou-nos, tomou conta de nós e dos nossos gestos, o tempo do meu país obrigou-nos a envelhecer mais depressa, a procurar mais depressa o que se deixou por fazer, por isso conduzo a esta velocidade, amanhã é noite de natal e um novo dia, é preciso acelerar para não perder o pouco que me resta, é hoje que telefono à minha filha, que lhe digo que estou farto de estar só por entre os dias, por entre as mulheres que dormem ao meu lado, que se encostam ao vidro e dormem ao meu lado, é hoje que lhe conto como conheci a mãe dela na Apúlia, é hoje que lhe desvendo o seu sorriso, as suas mãos e a maneira como perduram em mim, Marta, digo-o finalmente, o vento assobia-me nos ouvidos, daqui a nada chega a auto-estrada e só faltam sessenta quilómetros, daqui a nada chego, pego no telefone e acordo-vos, seja que horas forem, acordo-vos para vos dizer o vosso nome, acordo-vos e Marta, o telefone toca e eu Rita, gostava também de te falar, pai, se soubesse onde paras, onde é possível encontrar-te, gostava de te confessar que envelheço, a sério, que envelheço e que isso me dói, estou a chegar, estou a chegar, sinto já a atmosfera húmida da minha cidade, já me vejo a pegar no telefone, muito depressa para não hesitar, muito depressa, uma mulher dorme ao meu lado, dorme ainda, Marta, cheiras a sal, cheira a vento, cheiras a mim, hoje chego como cheguei há dez anos, vou ter contigo, abraço-te, faço-te um monte de filhos que me dêem tempo de ser pai, abraço-te e o dia nasce, passando os lábios alaranjados pelos telhados tristes das casas.

O meu pai morreu no dia em que me ia telefonar.

Voltava de Lisboa e chovia, a estrada estava escorregadia. Vinha no carro que há tanto tempo conservava, um Volkswagen de travões dúbios. Ninguém sabe se vinha depressa ou não, a única coisa certa é que bateu num muro, voou por cima dele e aterrou contra uma árvore. Terá derrapado, diz a polícia, baseada nos riscos ziguezagueantes que mancham o alcatrão. Chovia muito e o meu pai terá perdido o controlo do volante, das rodas, dos travões, chovia, estava escuro, tudo isso deve ter contribuído. Foi pena, estava quase a chegar à auto-estrada, estava quase, faltava só um bocadinho e o caminho iluminar-se-ia.

O enterro foi esta tarde. Nunca tinha visto a minha mãe vestida de preto, fica-lhe bem. A minha outra avó, a mãe do meu pai, também lá estava. Quando nos viu, largou toda a gente e quase correu na minha direcção. Ficou durante muito tempo a centímetros da minha mãe, apenas a olhar para ela, e pareceu-me que tinha vontade de chorar. Não disseram nada uma à outra. Depois olhou para mim, sorriu-me e abraçou-me. Os braços dela tremiam nas minhas costas. Fiquei sem saber o que fazer, por isso abracei-a também. Os meus tios, que conheço mal, também lá estavam com as mulheres. Cumprimentaram a minha mãe como se quem tivesse morrido fosse mais da família dela que da deles. Depois disseram qualquer coisa ao ouvido das mulheres, talvez a explicar-lhes quem era a minha mãe.

A minha mãe estava muito bonita, creio que já o disse. Afastou-se de mim e foi ter com a minha avó, que sorria para o caixão fechado.

Eu não fui. Estas coisas fazem-me impressão. Fiquei sozinha, olhando de longe. E como ninguém estava a olhar para mim, fui vaguear um bocado. Passeei ao acaso entre as campas, por entre os ramos de flores, ontem foi dia de natal e as pessoas devem ter-se lembrado dos seus mortos, os jazigos enchem-se das mais variadas flores nas cores mais variadas, andei um pouco por entre as lápides, por entre a profusão de roxos, de amarelos, de vermelhos vivos, caminhei por entre os santinhos de pedra, pelas inscrições dolorosas de saudade e lembro-me de ter pensado Já sei onde estás, perguntei-me durante tanto tempo, tantos meses, tantos anos, e agora já sei, estás aqui, encontrámo-nos finalmente, estás aqui, um dia volto cá para te pôr flores e falar contigo, arranjo um vaso bonito, vais ver, venho cá sempre que puder, embelezo a terra com ramos frescos, vais ver se não venho falar contigo, contar-te coisas, como me pegavas na mão se pensavas que estava a dormir, falar contigo sem esperar que me respondas, sem esperar que um milagre me traga a tua voz, até porque me assustaria, os fantasmas metem-me medo, apesar de não me seres agora mais fantasma do que sempre foste.

Anteontem, quando soube que tinhas morrido, pensei que não iria sofrer. Pensei que estavas já demasiado ausente, há muito tempo, pensei que sempre tinhas estado morto. E agora, lembrando o passeio que dei hoje à tarde pelo meio das campas, penso em ti. Penso que foste estúpido, penso que fui estúpida, penso que adiámos demais, talvez por pensar que éramos eternos, e acabamos assim – já reparaste? – por dar razão aos imbecis dos ditados populares que dizem que não se deve deixar para amanhã. Penso em ti e afinal fazes-me falta. Não sei se estas coisas se costumam dizer aos mortos, mas dorme bem. Descansa. Se quiseres, eu peço às nuvens para passarem sem fazer barulho. Peço às árvores para te darem sombra. E se te apetecer falar comigo, não o faças. Porque já não o podes fazer.

Nota do Autor

Para mim, esta é como se fosse a primeira edição deste livro.

Por razões que não são para aqui chamadas, o percurso inicial deste meu primeiro romance foi algo atribulado.

Importa lembrar que o escrevi com vinte anos, e só consegui publicá-lo por volta dos trinta. Hoje, já dobrei os quarenta. E sinto-me finalmente representado por uma editora que me respeita e me manifesta, a cada passo, uma confiança a que tentarei corresponder.

Importa lembrar que o escrevi muito novo porque, como será compreensível, não é o livro que hoje escreveria. O tempo e a distância operam uma escalada de exigência que, ao mesmo tempo que nos obriga a melhorar e a evoluir, faz descer um manto cruel sobre o que fizemos um dia, muito lá atrás.

Ao rever as provas, deparei com inúmeras «imperfeições» que tive a tentação de corrigir sem contemplações. Há malabarismos em que já não me revejo, excessos metafóricos que já não me parecem necessários. Mas há também, e pareceu-me o mais importante, uma fresca ingenuidade. Quero entendê-la como uma primeira e insubstituível entrega ao «ofício».

Não será pois o que escreveria hoje. Mas nunca o renegarei. Reconheço-lhe fragilidades próprias da idade com que foi escrito, mas não o consigo modificar em demasia. Seria outro livro. E este romance sou ainda eu. É onde sou o meu início. É pois assim que vos chega.

Rodrigo Guedes de Carvalho

Obras de Rodrigo Guedes de Carvalho

DAQUI A NADA (1992)
A CASA QUIETA (2005)
MULHER EM BRANCO (2006)
CANÁRIO (2007)